La estilística aplicada

Applied Spanish Stylistics

La estilística aplicada

Applied Spanish Stylistics

Anthony Lamb

Purdue University
Calumet Campus

Scott, Foresman and Company

Regional offices of Scott, Foresman and Company are located in
Atlanta, Dallas, Glenview, Palo Alto, Oakland, N.J., and
London, England.

Aviso editorial

Se hace constar que las citas literarias de este libro provienen de las siguientes obras:

«El árbol» por María Luisa Bombal (La Editorial y Distribuidora «Orbe» Ltda., Santiago de Chile). Con el permiso especial de la autora y el de la Editorial «Orbe».

La creación por Agustín Yáñez (El Fondo de Cultura Económica, México). Con el permiso especial del autor.

El camino por Miguel Delibes (Ediciones Destino, Barcelona). Con el permiso especial del autor.

El hermano asno por Eduardo Barrios (La Editorial Losada, S.A., Buenos Aires, Argentina).

«La caída de los Limones» de *Prometeo, Luz de domingo, La caída de los Limones* por Ramón Pérez de Ayala (La Editorial Losada, S.A., Buenos Aires, Argentina).

El humo dormido por Gabriel Miró (Atenea, S.A., Madrid).

Una manera de morir por Mario Monteforte Toledo (El Fondo de Cultura Económica, México). Con el permiso especial del autor.

«Ceremonia secreta» por Marco Denevi; de *Life en Español* (Doubleday & Company, Inc., New York).

«Juan Manso» de *El espejo de la muerte* por Miguel de Unamuno (Compañía Iberoamericana de Publicaciones, S.A., Madrid).

El Señor Presidente por Miguel Angel Asturias (La Editorial Losada, S.A., Buenos Aires, Argentina). Con el permiso especial del autor.

«El río» por Julio Cortázar; de *Final del juego*, Copyright © Editorial Sudamericana, S.A., Buenos Aires, Argentina, 1964.

«Anacleto Morones» de *El llano en llamas* por Juan Rulfo (El Fondo de Cultura Económica, México).

«Anita» de *Smith y Ramírez, Sociedad Anónima* por Alonso Zamora Vicente (Editorial Castalia, Madrid). Con el permiso especial del autor.

Tres tristes tigres por Guillermo Cabrera Infante (La Editorial Seix Barral, S.A., Barcelona). Con el permiso especial del autor.

«Al cabo de los años» de *El niño de la flor en la boca* por José María Castillo-Navarro (Pareja y Borrás, Barcelona). Con el permiso especial del autor. También este cuento aparece en *De Cela a Castillo-Navarro*, editado por Carlos Rojas (Prentice-Hall, Inc., Englewood Cliffs, New Jersey, 1965).

Les agradezco sinceramente su inteligente y paciente ayuda profesional a la señora Sylvia Schmitt, a la señorita Marilyn Hollander, y a los señores Paul Rohe y Samuel Haynes, todos editores muy hábiles de la empresa Scott, Foresman and Company.

A.L.

Dedicatoria

A Don Francisco Isidro Martín

Presentación

Ocupado lector: a diferencia de las obras de ficción, los libros de texto han de empezar siempre por el fin. El fin de este esfuerzo instructivo es altamente práctico: presentamos la excelente prosa de determinados maestros literarios, indicamos muchos de sus valores estilísticos y solicitamos su aprecio e imitación. Confiamos en que así habrá oportunidad de examinar, practicar y asimilar una variedad de elementos de la estilística moderna hispánica.

Verdad parece que la estilística, como separada consideración literaria, ha podido evitar una definición fácil, y que viene siendo una especie del saco roto proverbial en que cabe casi todo. Para los propósitos presentes, prescindimos de la cuasicientífica interpretación estructuralista que reduce el estilo a abstracciones; tampoco admitimos aquí la muy frecuente opinión de que el estilo de un autor sea cuanto haya en su manera de escribir que le individualice, ya que es esto del todo circular y descaradamente impreciso. Queremos detenernos en el manejo afectivo, los recursos técnicos, de la prosa. Buscamos primero la *identificación* de efectos literarios, luego un *análisis* de ellos, y entonces su *evaluación* artística. Pues, la denominación de «estilística aplicada» que anuncia nuestro título quiere decir que nos proponemos inducir la aplicación de tales efectos literarios al arte de escribir de cuantos tomen este libro a pecho.

Destinamos este texto a los que ya sepan comunicarse con relativa corrección y quienes tengan un deseo de expresarse con algún despejo. Procedo de la convicción de que el dominio del idioma escrito es una empresa humana que ennoblece, hasta por lo quijotesco de ser una meta nunca alcanzada y siempre perfectiva.

La redacción de este libro me ha sido completamente deleitosa. Yo aceptaría, sin embargo, que fuese leído y estudiado sin abierta hostilidad, ya que sería demasiado esperar que nadie lo disfrutara de la misma medida con que lo confeccioné. No obstante, con toda sinceridad, le deseo tal placer.

Guardo viva gratitud y aprecio para mis estudiantes; su inteligencia, comprensión y buena voluntad merecen los mayores esfuerzos de que nosotros sus instructores seamos capaces.

Advertencias

Al Profesor:

Tenga, colega, la amabilidad de reflexionar sobre dos negaciones iniciales: que este texto no es una exposición teórica de la estilística, ni tampoco enseña la corrección gramatical. Dentro de esos dos polos de lo abstracto y lo concreto, este libro sí es un intermedio, porque quiere inculcar la práctica de una serie de efectos estilísticos. La intención es que sea adoptado para cursos de composición avanzada o posiblemente para clases de la estilística, siempre que éstas tuvieran fines prácticos de participación creativa por parte del estudiante. Es verdad que tal intención no elimina su empleo como libro adicional, de consulta o de manual, para clases de literatura, pero esta advertencia se dirige a los instructores de la composición.

Opino que la composición es una de las tareas docentes más difíciles, y que así debería ser, porque una prosa ágil y nítida es el producto de persistentes años de atención circunspecta. Estriba la dificultad instructiva en la molestia inherente tanto en hacer el esfuerzo creativo como, para el profesor, en el tanto repasar sobre una general insulsez, mal escrita. Pues, no se admite de mejor arma contra tal pesadez que la incitación de la curiosidad. Por lo que he intentado arreglárnosla para que las tareas de composición aquí sean interesantes para todos: proveen una oportunidad de libertad creativa, pero dentro de específicas indicaciones.

Por ser una patente imposibilidad, no he intentado incluir todas las consideraciones estilísticas posibles. Mi deseo ha sido de exponer un interesante muestrario. Hay seis capítulos sobre la descripción mayormente, ocho acerca de la exposición narrativa y uno sobre el diálogo, todos con varias referencias a diferentes técnicas y elementos de la ficción. El orden de los capítulos supone una gradación progresiva, tanto de complejidad como de la cronología, aunque ésta no estrictamente así.

Cada capítulo consta de siete secciones. Lo esencial es que el educando (1) entienda los detalles analizados, (2) prepare su propia composición según las indicaciones y (3) la revise y comente. Calculo recomendable hacer un capítulo por semana (cada tres o cuatro clases). Una manera típica de incluir las siete secciones en asignaciones sería:

1. Primer día: el estudiante prepara para discusión en clase las primeras dos secciones, y comprende la tercera, «La Tarea», posiblemente trayendo a la clase su idea inicial para su escrito.

2. Segundo día: él trae su primera redacción. Se leen partes y aceptan sugestiones. Se entrega la primera redacción.
3. Tercer día: el estudiante prepara «Las Consideraciones Adicionales». Se devuelve la primera redacción con comentarios del profesor. Se comentan las posibles dificultades y la «Reelaboración de La Tarea».
4. Cuarto día: se entrega la composición en forma final. Se preparan los «Ejercicios».

Se puede completar cada capítulo en menos tiempo, por ejemplo, eliminando que se hagan dos redacciones de la misma tarea y suspendiendo los ejercicios. Pero no veo ningún valor en la prisa, y sí mucho en la concentración detenida.

Será de óptimo beneficio si se puede crear una atmósfera de taller donde todos los alumnos participen directamente en una discusión general y específica de los valores averiguados. Sugiero que los estudiantes lean en alta voz parte o toda de la redacción inicial, y que el resto de la clase comente sus pareceres junto con las correcciones que el profesor agregue.

Pienso, además, que se debe insistir ya en que cada estudiante tenga o se disponga libremente de un diccionario español–español. Este estudio verdaderamente lo requiere.

Y dos cosas más. Al que adopte este texto le celebro por su espíritu español, esto es, por su capacidad aventurera, y su inteligencia y bondad profesorales. Y le invito las sugestiones que se le ocurriesen para el mejoramiento de esta embestida educativa, ya nuestra.

Al Estudiante:

Es el privilegio de todo estudiante aplicado valerse de todos los métodos para educarse. Y entre paréntesis que sea dicho de una vez, que no hay más merecido uso de un verbo reflexivo que al tratarse de la educación: la educación es personal y privativa porque toda persona genuinamente educada es autodidacta. Espero que el estudiante buscará todas las oportunidades posibles para perfeccionar su manejo de la palabra escrita. En el empleo de este texto, se requiere una composición original por capítulo, además de una viva participación oral en clase. Acepte usted este desafío.

El aprecio de varios efectos literarios y una terminología técnica es otra ventaja de este curso. Quisiera yo que usted supiera todos los términos técnicos del libro, de memoria; pero no para aprobar algún examen sino porque usted los necesite y los emplee contínuamente de ahora en adelante.

Supérese.

Indice

Capítulo Uno de «El árbol»
María Luisa Bombal 1

Capítulo Dos de La creación
Agustín Yáñez 7

Capítulo Tres de El camino
Miguel Delibes 13

Capítulo Cuatro de El hermano asno
Eduardo Barrios 19

Capítulo Cinco de «La caída de los Limones»
Ramón Pérez de Ayala 25

Capítulo Seis de El humo dormido
Gabriel Miró 31

Capítulo Siete de Una manera de morir
Mario Monteforte Toledo 37

Capítulo Ocho de Ceremonia secreta
Marco Denevi 43

Capítulo Nueve de «Juan Manso»
Miguel de Unamuno 49

Capítulo Diez de El Señor Presidente
Miguel Angel Asturias 55

Capítulo Once de «El río»
Julio Cortázar 61

Capítulo Doce de «Anacleto Morones»
Juan Rulfo 67

Capítulo Trece de «Anita»
Alonso Zamora Vicente 75

Capítulo Catorce *de Tres tristes tigres*
Guillermo Cabrera Infante 83

Capítulo Quince *de «Al cabo de los años»*
José María Castillo-Navarro 91

Advertencia final 99
Bibliografía selecta 101
Glosario de términos literarios 103
Vocabulario 113

La estilística aplicada

Applied Spanish Stylistics

1 de «El árbol»

María Luisa Bombal

El pianista se sienta, tose por prejuicio, y se concentra un instante. Las luces en racimo que alumbran la sala declinan lentamente hasta detenerse en un resplandor mortecino, de brasa, al tiempo que una frase musical comienza a subir en el silencio, a desenvolverse, clara, estrecha y juiciosamente caprichosa.

Detalles analíticos

La frase inicial de esta selección comunica la formalidad de la ocasión mencionada, tanto por la denotación de las palabras como por una cadencia sintáctica de tres cláusulas cortas, a manera de tres pasos firmes o tres anotaciones breves de un reporte. Es admirable esta frase también por (1) sumergir al lector rápidamente en un ambiente, (2) convencer de la autenticidad del momento descrito (todos conocemos esa tos seca de nerviosidad) y (3) crear el instante de expectación—todo con concisión.

La segunda frase describe donde se está y cómo suena la música. Aquí ya el estado mental cambia de la expectación a la soltura imaginativa; se efectúa tal cambio a través de una lírica antítesis de movimientos: la luz que baja y la música que sube.

El efecto total del pasaje citado es de dejarse inspirar por la agradable penumbra y armonía. El giro adjetival «de brasa» está en una posición sintáctica donde recibe más atención, separado del resto de la frase por comas, y su sentido contribuye mucho al efecto total por lo que recuerda de una chimenea hogareña y su apacible lumbre.

En este primer capítulo de nuestro estudio se nos presenta la feliz oportunidad de tocar en lo más interesante de la estilística, las palabras mismas, la selección del vocabulario con que queremos expresarnos. Aunque aseguran algunos que el idioma, como modo de intercomunicación, falla mucho, es inexacto, deja dudas y crea problemas, todo escritor (y por extensión todos nosotros que estudiamos el arte de escribir) procede de una convicción contradictoria, ya que se complace de la flexibilidad de la lengua, su poder evocador, los matices posibles, us esencia interpretativa. Por lo tanto, aquí la más básica tarea es, y siempre tiene que ser, la de escoger las palabras con sumo cuidado. Veamos por ejemplo que esto quiere decir no solamente seleccionar las voces que mejor precisen nuestros conceptos sino también economizar, entresacando lo más supérfluo y lo ineficaz para dejar claramente lo más sugestivo. La primera frase de la selección citada enumera tres acciones del pianista entre muchas acciones posibles que no se mencionan (no se dice, por ejemplo, que él se frotara las manos, ni ajustara el asiento, ni mirase la música, ni pusiera las manos en posición, ni siquiera que empezara a tocar). Y lo que podemos aprender de esto es que al elegir, suprimimos muchas posibilidades para hacer resaltar algunos atributos muy indicativos. Las tres acciones aquí dicen (1) que el músico está en posición de tocar, (2) que hay un poquito de nerviosidad y (3) que el momento está lleno de anticipación. (Pero lo «dice» todo por lo que las acciones implican. Este poder insinuante de la prosa es lo que urge cultivar.) Y estos tres detalles bastan para arrestar la atención inicialmente.

Al pianista no se le vuelve a mencionar en todo el cuento. Al bajar las luces, se le pierde de vista a él, y desde la segunda frase en adelante la música cobra una vitalidad propia e inspira todo el estado de ánimo de la obra. (En realidad, hay sucesivos estados de ánimo expresados durante la historia, y sucesivas piezas musicales.)

Es interesante que notar en esta segunda frase existen dos alternativas interpretaciones gramaticales de las palabras «clara, estrecha» : (1) que son dos adjetivos que, junto con el tercer adjetivo «caprichosa», describen el sustantivo, «la frase musical»; o (2) que son dos adverbios con su sufijo «-mente» suprimido porque van en serie, cuyos significados son «clara(mente), estrecha(mente) y juiciosamente caprichosa». Parece que hay que decidir qué es lo que puede ser clara y estrecha, o la música en sí o su calidad de caprichosa. Me inclino por la segunda interpretación porque todas estas palabras van en la misma cláusula y porque creo que el carácter voluble de la pieza es lo que importa más.

La tarea

1. Haga una breve descripción de dos o tres frases.
2. Describa una escena que pueda inspirar la meditación.
3. Que sea una escena común a la experiencia humana en que se puedan indicar las acciones familiares por medio de pocas referencias, omitiendo todo lo obvio.
4. Tome el tiempo de pensar de antemano en las palabras exactas que especifiquen la escena y el estado de ánimo (la meditación, en este caso).
5. Use pocos adjetivos.
6. Si puede concebir de una antítesis de movimientos sería bueno, pero no es imprescindible.

Identificación de la selección

«El árbol» es un cuento por la excelente escritora chilena María Luisa Bombal que se publicó en 1939 en la revista *Sur*. Es una historia que entrelaza evocaciones personales de la protagonista, inspiradas por asociaciones de distintas piezas de música clásica que ella escucha en la ocasión de un recital de piano. El cuento relata con tierna sinceridad la desgracia de la pérdida del amor y aún la más honda tragedia de quedar sin esperanzas de poder amar ni ser amada.

La selección de este capítulo es todo el primer párrafo del cuento, y por eso es lo que inicia toda la atmósfera, tono y ambiente en que va a desarrollarse el hilo de la narración, en este caso los recuerdos nostálgicos de la protagonista.

La intercalación de recuerdos o ensueños con una distinta realidad externa es ya una técnica narrativa moderna y de uso extendido. La esterilidad de asociaciones humanas es asimismo un tema muy moderno. Hay además en este cuento una elaboración de varios símbolos que gráficamente contribuyen a la desolación expresada. Por su modernidad y complejidad, «El árbol» es considerado como uno de los mejores cuentos sudamericanos. El estilo demuestra precisión, una depuración de adornos retóricos y una abundante sensibilidad artística.

Consideraciones adicionales

1. Busque bien el significado de la palabra «prejuicio» y comente su uso en el pasaje.
2. Dije que «de brasa», aunque denota sencillamente «ascua» o «rescoldo», sugiere una chimenea apacible; esta sugestión es una connotación de la palabra. Ahora, diga la connotación que puede tener «en racimo».
3. Dé al menos tres sinónimos para «desenvolverse».
4. Comente si las series de tres—tres cláusulas al principio del pasaje y los tres adverbios (o adjetivos) al final—contribuyen algún efecto a esta prosa.
5. Es curiosa la yuxtaposición de las palabras «juiciosamente caprichosa» porque obrar con juicio es pensarlo bien, planear, mientras capricho es todo lo contrario. Esta es una figura retórica llamada *oximoron.** Pero, ¿cómo puede haber una música así? ¿Qué quiere decir esto?
6. El orden de esta descripción hace que primero se mencione cierta acción y después se describa dónde y cómo ocurre. Sin embargo, es algo más tradicional, quizá, lo inverso: dar la descripción del ambiente y luego concentrar en alguna acción. Discuta algunas ventajas y desventajas del orden en que se presentan la acción y el escenario.

* Sobre las significaciones de los términos literarios empleados en el texto, véase el Glosario de términos literarios.

7. ¿Qué efectos son producidos si cambiamos los seis verbos conjugados (son: «se sienta, tose, se concentra, alumbran, declinan, comienza») al tiempo pasado? Hágalo, y comente sobre las distintas impresiones recibidas.
8. ¿Qué efecto acústico o fonético hay al final dc la segunda frase y a qué contribuye?

Reelaboración de la tarea

1. Si la meditación es un estado mental en que uno se deja llevar por las ideas y los sentimientos, ¿logra su composición crear este efecto?
2. Fíjese en que (1) no hayan detallcs supérfluos, ni (2) falten suficientes indicaciones afectivas.
3. El vocabulario que usted emplea tiene que estar a tono del estado de ánimo descrito.
4. Si usted empleó un contraste de movimientos o acciones, ¿hay varios adverbios eficaces?

Ejercicios

A. 1. ¿Qué cambio de efecto se produce al alterar la frase inicial de la forma siguiente: «Se sienta el pianista, tose por prejuicio, y se concentra un instante»?
   2. ¿Qué diferencia hay en el efecto al cambiar «un resplandor mortecino» a «un mortecino resplandor»?

B. Busque sinónimos por las siguientes voces:
   mortecino
   concentrarse
   alumbrar
   estrecho (en el contexto usado aquí)
   resplandor

2 de *La creación*

Agustín Yáñez

Amplio es el cuarto, y alto, aunque desolado. Anchas, al norte, las ventanas. Abajo, el suburbio en hormigueo. Los altos techos de vigas. Las paredes dadas de cal, con sombras de polvo, leves. Pisos, puertas y ventanas destartalados. Las maderas crujientes. Los vidrios rotos y empañados. Al centro, la tarima para modelos. A un lado, hacia el norte, se levanta el caballete. Asientos heterogéneos, en dispersión. Una mesa redonda, de estilo, desvencijada, cubierta de objetos desordenados: libros, revistas, papeles, trapos, utensilios de cocina, una cafetera, paletas, colores, pinceles. Hacinamiento de cuadros contra las paredes. En el rincón inmediato a la puerta, un recostadero y, a mano, como enorme azucena, la bocina del fonógrafo, en una mesa cuyos paños contienen discos, revueltos con espátulas y otros cachivaches. Tan amplio es el cuarto, que sobre su aglomeración parece vacío.

Detalles analíticos

El asunto de este pasaje es la descripción de un sólo cuarto, hecha de una manera directa, obvia. La técnica usada es la de hacer un inventario de lo visto. Se enumeran las proporciones del lugar y su contenido. Parece una descripción realista y objetiva: las frases incompletas, las cláusulas separades y la cantidad de objetos nombrados, todo contribuye a la sensación de notas tomadas o grabadas mentalmente.

Una descripción netamente objetiva, sin embargo, no interpone la opinión del observador, y aquí hay, además del desorden («dispersión, desordenados, hacinamiento, revueltos, cachivaches, aglomeración») y el decaimiento («polvo, destartalados, crujientes, rotos y empañados, desvencijada»), la sensación de abandono («desolado, vacío») y la clara impresión que el observador admira, quizá excesivamente, este cuarto. En cuanto a esta última impresión, primero se observa que este párrafo tiene un marco, o sea, que empieza y termina con casi idénticas palabras que insisten en lo amplio del cuarto. Tal calidad espaciosa sugiere grandeza tanto de tamaño como de superioridad. Después, las únicas referencias específicas al color son del blanco («paredes dadas de cal» y la «azucena»); como el cuarto es un estudio de pintor, debe haber múltiples colores, pero sólo se destaca la blancura, así atribuyéndole castidad, pureza, al escenario. La única mención del mundo afuera se hace con cierto desprecio al considerar el suburbio «en hormigueo» (contraste de un frenesí allá abajo con la calma del cuarto); se sobreentiende una diferencia de altura, entre los motivos altos y bajos de cada clase humana. Finalmente, se aprecia la admiración del observador también en lo que deja de mencionar: este estudio de artista con tanto desorden sorprende por carecer de suciedad; no hay, evidentemente, embarro de pintura, colillas de cigarros, botellas vacías, etcétera.

La única figura retórica es el símil de la bocina que parece una enorme azucena. Choca esto en el contexto de este párrafo y es conspicuo. Se comprende que la forma cónica de ambos objetos es un punto de correlación, pero parece incongruente que la bocina tuviese la belleza de tal flor. Su uso se explica en parte al saber que él que hace tal comparación es un músico y compositor y que, por lo tanto, cualquier objeto musical a él le puede parecer bello. Es otro detalle bien subjetivo, envuelto en aparente objetividad.

Dos son los contrastes básicos que impresionan en esta descripción: uno ya mencionado en parte, que hay numerosos objetos pero que el cuarto es tan amplio que parece no contener nada, «parece vacío»; y otro entre la actividad creativa latente y el desuso o inercia ahora, o sea, la acción enérgica—suspendida.

La sintaxis de este pasaje es digna de más atención que la que podemos dar por el momento, ya que, como casi toda la prosa creativa verdaderamente moderna, corresponde poco a la lógica gramatical y mucho a las exigencias expresivas y humanas de la situación relatada. Pero al menos conviene notar, de paso, que principalmente se destacan: (1) gran cuidado con escoger pocos pero acertados adjetivos, (2) una supresión general de verbos y (3) la colocación eficaz de adjetivos. Si la sorpresa depende de la alteración de lo usual, una sintaxis diferente se basa en cambios del orden de las palabras, y aquí los adjetivos cobran cierta independencia (o más importancia) cada vez que van o separados (por comas) o antepuestos al sustantivo. Por esto, inicialmente en esta descripción, los adjetivos espaciosos parecen de mucho más relieve («amplio, alto, anchas»).

Por último, el intercambio de objetividad y subjetividad requiere la consideración del impresionismo. En el impresionismo se presentan sin explicación los detalles superficiales, suprimiendo las emociones y actitudes del observador; este pasaje es impresionista: no se logra la completa exclusión de la actitud del observador, pero sí se suprime, y se presentan los detalles sin explícita referencia a las emociones que causan.

La tarea

1. Escoja un escenario que ya no tiene acción pero que antes sí encerraba mucha actividad: por ejemplo, una tienda cerrada, una calle principal desierta, un estadio sin gente, esta aula cuando está desocupada.
2. Haga una lista selecta de algunos detalles descriptivos, usando frases cortas o incompletas, pocos verbos y pocos adjetivos pero colocando éstos donde recibirán mayor énfasis.
3. Piense primero en el efecto que quiere producir—admiración, como en el pasaje, o desprecio—entonces insista solamente en impresionar con palabras y conceptos que contribuyan a tal efecto.
4. Adopte una sola perspectiva o posición narrativa; no cambie este punto de vista ni emplee más sentidos humanos que el de la vista en su descripción.

5. Puede usarse el símil, pero la impresión general no debe ser afectiva sino una de evidente objetividad.
6. Para reforzar el efecto deseado, sería conveniente indicar algún otro contraste (más que el de actividad/inactividad) que ayudara a evaluar la ocultada sensación que el escenario le causa.

Identificación de la selección

La creación se publicó en 1959 y pertenece a una serie de novelas por el ilustre mexicano Agustín Yáñez que tratan de la sociedad mexicana desde diferentes perspectivas y épocas (las otras novelas del ciclo son: *Al filo del agua*, 1947; *La tierra pródiga*, 1960; y *Las tierras flacas*, 1962). Todas exhiben una penetración en los valores y problemas del vivir contemporáneo en México.

La creación tiene más explícita aplicación universal que las otras novelas del ciclo, ya que el énfasis temático cae en la relación del artista a su obra y a su mundo. Aunque esta novela tiene toda una gama de situaciones y consideraciones sociales e individuales, tiene gran unidad y cohesión; la música es su asunto, es compositor su protagonista, y hasta las divisiones formales de la obra son musicales: hay cuatro «movimientos» en la novela, cada uno dividido en cinco, cuatro, cuatro y cuatro secciones respectivamente. Nuestra cita viene del comienzo del segundo movimiento (o sexta sección o capítulo).

Consideramos el estilo novelesco de *La creación* uno de libertad sintáctica, de gran expresividad, de una combinación de técnicas modernas: es inventivo y algo preponderante, altera entre el expresionismo y el impresionismo, ofrece un vocabulario a la vez mexicano y culto, intelectual, algo complejo, bien artístico.

Consideraciones adicionales

1. ¿Cuáles son la denotación y la connotación de la palabra «desolado» en este pasaje?
2. Indique las palabras cultas en el pasaje.

3. ¿Puede usted dibujar el cuarto descrito? Hágalo.
4. Una palabra que orienta la descripción en esta selección es «norte». ¿Tiene más que una significación o sentido?
5. Si la música es una preocupación central en toda la novela, ¿puede usted encontrar elementos estilísticos en esta selección que indiquen o sugieran la música?
6. *Elipsis* es la omisión de elementos sintácticos. Dé ejemplos de esto del pasaje.
7. *Hipérbaton* es la alteración (inversión) en el orden sintáctico, considerando tal cambio no usual o corriente en la época. ¿Cuáles ejemplos de esto hay aquí?
8. *Asíndeton* es la supresión de conjunciones. Un ejemplo aquí es la serie de «objetos desordenados» que omite la usual «y» ante el último elemento. ¿Qué efecto produce esta omisión?
9. Los grupos sintácticos de este trozo, ¿piensa usted que corresponden a divisiones de necesidad fonética (grupos de respiración) o a divisiones en conceptos mentales?

Reelaboración de la tarea

1. Los adjetivos que usted insertó en su composición, ¿los colocó primero en las frases, o sueltos?
2. ¿Es su descripción lo suficientemente completa como para permitir que se pudiera dibujar el lugar?
3. Cuide usted que su composición parezca objetiva, aunque también hay que dejar que el lector haga una conclusión afectiva que usted desea comunicar.
4. Deben de predominar las frases nominales (que no son oraciones formalmente completas).

Ejercicios

A. Discuta los diferentes efectos de los siguientes cambios sintácticos: (1) «El cuarto era, aunque desolado, alto y amplio»; (2) «El cuarto era tan amplio que parecía vacío sobre su aglomeración.»

B. ¿Las siguientes palabras son aproximados sinónimos para cuáles palabras del pasaje?

nublados
circular
trastes
barrio
moda

3 de *El camino*

Miguel Delibes

Es expresivo y cambiante el lenguaje de las campanas; su vibración es capaz de acentos hondos y graves y livianos y agudos y sombríos. Nunca las campanas dicen lo mismo [. . .]

Daniel, el Mochuelo, acostumbraba a dar forma a su corazón por el tañido de las campanas. Sabía que el repique del día de la Patrona sonaba a cohetes y a júbilo y a estupor desproporcionado e irreflexivo. El corazón se le redondeaba, entonces, a impulsos de un sentimiento de alegría completo y armónico [. . .] Otras veces, los tañidos eran sordos, opacos, obscuros y huecos como el día que enterraron a Germán, el Tiñoso, por ejemplo. Todo el valle, entonces, se llenaba hasta impregnarse de los tañidos sordos, opacos, obscuros y huecos de las campanas parroquiales.

Detalles analíticos

Esta selección contiene una sola, extendida metáfora: la comparación del sonido de las campanas con la voz humana. Las campanas «hablan» porque tienen un lenguaje y su vibración es la modulación de la voz, su tono, su acento. Atribuirle vida a lo inanimado, como aquí adscribir la cualidad humana de hablar a una copa metálica, es, además, *personificación* o *prosopopeya*, una figura retórica bien común.

Como para rematar o reforzar la comparación, Delibes ejemplifica su metáfora con cinco adjetivos: «hondos y graves y livianos y agudos y sombríos». La conjunción «y» provee el péndulo del vaivén de la acción descrita y podemos sentir cómo remedan estos adjetivos las campanadas exactamente. El movimiento pendular es temático tanto como de forma, ya que «hondos y graves» denotan seriedad, «livianos y agudos» describen alegría, y luego con «sombríos» vuelve la gravedad. De esta manera es posible agregar un carácter acompasado y musical a la prosa, así incorporando en su lectura otro sentido, el del oído.

El segundo párrafo extiende la metáfora, la explica con más detalles y da ejemplos de cómo puede el sonido de las campanas afectar a Daniel y a los otros habitantes del valle. Conviene señalar aquí tres otras figuras retóricas usadas en este párrafo: es *metonimia* indicar con «corazón» los hondos sentimientos personales (claro que esta metonimia es un cliché); es un ejemplo de *dilogía* (o sea, doble sentido) lo de que «se le redondeaba» el corazón con los tañidos, ya que se admiten dos significados, el de físicamente llenarle de vitalidad y el de emocionalmente infundirle completa alegría; y después hay *sinécdoque* al decir «todo el valle» por «todo el contenido del valle, sus habitantes».

La metáfora, la metonimia, la dilogía y el sinécdoque, todos son *tropos*. Los tropos recargan una sola palabra con especiales extensiones de significancia. Y si concentramos la atención un poco en la diferencia entre la metáfora y el símil (éste ejemplificado en el capítulo anterior), se nota, como corolario de la ecuación o identificación que hace una metáfora, que al decir que tal cosa *es* tal otra, se miente. Una campana no es una voz humana. Se hace un brinco imaginativo y exagerado y se cae dentro del campo de la fantasía, al expresionismo, o cuando menos dentro del uso bien figurativo, afectivo del lenguaje. El símil, por su parte, al insertar su «como» o «parece», es algo más honesto, quizá más tímido, seguramente más explícito.

La tarea

1. Hay que crear una sóla metáfora. Se debe comparar preferiblemente algún sonido producido mecánicamente con algunos otros atributos humanos.

2. Como en la citada selección, puede usarse la prosopopeya, si es conveniente.
3. Debe haber cierta imitación rítmica del sonido con las palabras usadas, aunque éstas no tienen que ser necesariamente adjetivos.
4. Use algunos otros tropos si puede.

Identificación de la selección

El pasaje citado proviene del comienzo del capítulo veinte de la sencilla y conmovedora novela española, *El camino* (1950), por Miguel Delibes. La obra revela la vida diaria de toda una aldea, sentida y recordada por un adolescente en la víspera de su salida de su valle para ir a estudiar a la ciudad. Es una novela en que se expresa una comprensión cariñosa de la gente pueblerina a través de los recuerdos del protagonista Daniel, compartiendo sus travesuras, alegrías, temores y tristezas, todo destilado por la añoranza que empieza a sentir. A pesar de la perspectiva de un niño de once años, hay más de pintoresco que de picaresco, por lo que el tono es sincero, gracioso y tierno.

Bien lo demuestra el trozo citado aquí, el estilo resulta bien expresionista, donde toda la realidad externa se impregna de los agudos, si a veces pasajeros sentimientos del muchacho. Apreciamos una serie de evocaciones sembradas liberalmente de aquel subjetivismo ingenuo, sano e inadvertido con que acierta la inocencia juvenil a adaptársele el mundo.

Consideraciones adicionales

1. Explique el uso de la palabra «estupor» y la significancia de los adjetivos «desproporcionado e irreflexivo».
2. ¿Qué efecto produce la repetición de «sordos, opacos, obscuros y huecos»?
3. ¿Cuáles atributos personales del protagonista Daniel podemos apreciar, según las indicaciones en este pasaje?
4. Comente sobre la importancia diaria de la iglesia en la vida campestre española.

5. Polisíndeton es el opuesto de asíndeton, la repetición de conjunciones. Diga el ejemplo de polisíndeton que hay en el primer párrafo de la selección.
6. El giro «a impulsos de», ¿cómo combina integralmente con el efecto total de este pasaje?
7. La palabra «armónico», ¿es otro ejemplo de dilogía?
8. La obscuridad es una falta de luz, y una cuestión de percepción visual. Pues, ¿cómo es que se puede describir un sonido con adjetivos como obscuro u opaco? ¿No es mera confusión de diferentes sentidos? (Una palabra que puede designar tal intercambio descriptivo entre los distintos sentidos humanos es *sinestesia.*)

Reelaboración de la tarea

1. Es importante en su composición que al crear una metáfora de tanta extensión, la metáfora sea verosímil—es decir, que la imagen metafórica tiene que ser creíble, no exageradamente disparatada. Necesita ser sincera.
2. En esta tarea conviene usar varios adjetivos. Vuelva usted a fijarse en que sean eficaces y de fácil comprensión.
3. Al emplear otros tropos, uno o dos son suficientes.

Ejercicios

A. 1. «Nunca las campanas dicen lo mismo» es una frase de orden sintáctico lógico (sujeto-verbo-complemento), pero suena algo tosca. ¿Por qué?
   2. Diga si la cláusula siguiente es o no es un símil: «como el día que enterraron a Germán, el Tiñoso».
   3. Los adjetivos «completo y armónico», ¿a qué sustantivo pertenecen? ¿No tendrían más fuerza si fueran antepuestos a ese sustantivo?
   4. ¿Sería más expresiva la última expresión si fuera activa («Los tañidos . . . llenaban todo el valle hasta impregnarse») en lugar de pasiva?

B. Busque los términos en el pasaje que corresponden a los siguientes sinónimos.

lechuza
serios
solía
campanada (dos)
vacío

4 *de El hermano asno*

Eduardo Barrios

La mañana está fresca, centelleante y pura, como la voz de un pájaro. He abierto mi ventana y mis puertas de par en par, y entran olores jóvenes que aspiro hasta el fondo de mis entrañas.

No tengo nada que hacer, ningún asunto pendiente, ningún sentimiento en el pecho. En nada pienso. Nada deseo. Veo limpio el aire . . . , los aires, hasta el azul; limpio el jardín, donde todo luce niño y ligero; limpia mi celda, y están limpios mis sentidos, mi conciencia y mi sensibilidad.

[. . .]

Me voy. El huerto llama en momentos así. Quiero andar, cubrirme de luz bajo este sol benigno, y llevar pegada a mis sandalias tierra oscura y esponjosa, y asomarme al pozo y ver su fondo que copia el cielo como un alma inocente, humilde y silenciosa.

Detalles analíticos

Un análisis cuantitativo solamente enumera. Pero, por pedestre que sea, es siempre una manera de empezar. Impresionan, pues, en este pasaje las unidades de tres: tres adjetivos en la primera frase; después, en el segundo párrafo, primera frase, hay tres cláusulas; en la última frase del segundo párrafo se mencionan tres cosas limpias (aire, jardín y celda) y entonces tres correspondientes facultades humanas limpias (los sentidos, la conciencia y la sensibilidad); y termina la selección con tres adjetivos, lo mismo que el comienzo.

Y contando. Hay tres símiles: «como la voz de un pájaro»; «luce» vale por «parece» en la frase «todo luce niño y ligero»; y al final, «como un alma inocente, humilde y silenciosa». Dos ejemplos de prosopopeya son el huerto que «llama» y el fondo del pozo que «copia». Hay dos ejemplos de repetición en el segundo párrafo, uno hecho cinco veces por lo de estar ocioso, y el otro que se hace cuatro veces acerca de la limpieza.

Vean, por favor, que hasta ahora, con el mero enumerar, nada compruebo; acaso que sé contar. No obstante, sí me he esforzado por extraer algunas entidades, físicamente, del pasaje. Ahora falta relacionarlas con lo que las palabras expresan.

Un análisis cualitativo examina los efectos producidos por las palabras, imágenes, situaciones. Aquí todo el pasaje es la expresión de un estado de euforia, de bienestar, satisfacción y felicidad.

Si bien la primera frase no es ingeniosamente original, sí tiene su impacto: es breve y capta la esencia de la claridad del nuevo día; además es sinestética por lo que suscita a través de los varios sentidos humanos, como el olor, la vista y el oído (en la siguiente frase se sugiere el sabor al inhalar la frescura matinal, lo mismo que se refieren al tacto los detalles del tercer párrafo, como el cubrirse de luz y sentir pegada la tierra a los pies); por último, el símil entre un sonido claro y la mañana diáfana es oportuno, reforzando la sinestesia. En la segunda frase del primer párrafo es notable lo expansivo que se siente el narrador: la acción va desde abrirse completamente al mundo hasta ingerírselo al fondo de su ser, de lo más externo a su más íntimo.

La repetición del segundo párrafo quiere y logra convencer por su propia insistencia. Su sintaxis entrecortada corresponde a reflexiones mentales y la repetición recalca en el narrador y en nosotros su increíble dicha. (Como figura retórica, se le dice *anáfora* a la repetición de palabras o sonidos iguales al principio de cláusulas o frases consecutivas.) Hay aquí además una continuación del contraste mencionado en el primer párrafo, relacionando al mundo exterior con el estado personal de uno—como si aquí la claridad del día le limpiase al narrador.

A los elementos anteriores de la luz—los olores y el aire—el tercer párrafo agrega la tierra y el agua, y todos se complementan, desde luego. Pero la interrelación del hombre y la naturaleza adquiere otra faceta, se espiritualiza: con la clásica imagen del cielo reflejándose en el agua, el símil final denota cómo recibimos del cielo la duradera felicidad. Desde consideraciones laterales entre el hombre y su ambiente, se ha vuelto el narrador hacia arriba, conmovido y agradecido por la gracia divina.

Queda por relacionar la tendencia tripartita. Sabiendo por los pormenores del pasaje que el narrador lleva sandalias, habita una celda, y se recrea en un huerto, añadimos ahora que evidentemente tiene pensamientos religiosos, y sacamos en conclusión que es monje y que vive en un monasterio o convento. En rigor, se nota que todo este pasaje demuestra un tenor de bondad y sencillez frailescas: hay un vocabulario muy humilde, una cadencia prosaica paciente y una dulzura conceptual clerical. Concuerda perfectamente, entonces, el que un clérigo concibiese en series ternarias; es precepto básico del cristianismo la trinidad de Dios y la liturgia lo reitera con constancia.

La tarea

1. Describa un momento perfecto en la vida.
2. Mencione unos pocos atributos físicos del escenario, utilizando dos o tres símiles sencillos. Hay que expresar cómo la bondad de la naturaleza le está afectando a usted personalmente.
3. Incluya referencias a todos los cinco sentidos humanos.
4. Emplee frases completas pero no muy largas; palabras bien escogidas por su connotación tanto como la denotación.

Identificación de la selección

Aunque no hay capítulos enumerados ni titulados en *El hermano asno* (1922), por el escritor chileno Eduardo Barrios, sí hay muchas breves secciones que sirven de capítulos y el citado pasaje es de la tercera de estas secciones, cerca del comienzo de la obra. Ahí se establece tanto el escenario del convento, con visos de la vida de los monjes, como también los rasgos del carácter del personaje central, Fray Lázaro. La sección citada provee indicios de la devoción y humilde sencillez de Fray Lázaro.

Sobre todo, el impacto temático de la novela proviene de conflictos morales y sicológicos. El valor estilístico, tan considerable, depende del cuidado de un esteta en producir una prosa sumamente refinada. Es indudable que se percibe en esta novela la fruta madura del entonces recién pasado Modernismo, el movimiento literario sudamericano de máximo beneficio e importancia para la literatura hispánica moderna. Además de los avances técnicos de versatilidad formal e intensificación conceptual que lograron los maestros modernistas, tales como Rubén Darío, Manuel Gutiérrez-Nájera, José Martí, Ramón del Valle-Inclán, y Juan Ramón Jiménez, se considera que el Modernismo recomprobó enfáticamente la importante estatura cosmopolita de la literatura hispánica y que, allá por los fines del siglo pasado y comienzos del actual, infundió en el ánimo literario donde más arraigó, en Sudamérica, una invulnerable confianza y dedicación a su arte que perdura y fructifica hasta hoy.

Consideraciones adicionales

1. Busque una metonimia dentro de un símil del citado pasaje.
2. Las agrupaciones de tres unidades dan un carácter de equilibrio, balance o paralelismo a la prosa (una característica literaria muy estimada en el siglo pasado, aunque algo fuera de moda hoy en día). ¿Hay otros ejemplos de paralelismo en este pasaje?
3. En el último símil del pasaje, ¿qué es, precisamente, lo que es «como un alma inocente, humilde y silenciosa»?
4. En varias ocasiones hemos notado cómo la expresión escrita tiende a revelar a quien la piensa, siente y expone. ¿Qué deduce usted acerca del narrador, considerando sus adjetivos «olores jóvenes» y el jardín que «luce niño»? (Primero diga la connotación de juventud que queda sugerida en estos dos ejemplos, y después calcule qué tipo de persona podría hacer tal correspondencia connotativa.)

5. El polisíndeton de la última frase del pasaje, ¿a qué efecto contribuye?
6. La palabra «aspiro», ¿es dilogía aquí?
7. Esta prosa, ¿es impresionista o expresionista? Defienda su posición con pruebas.
8. Los tres puntos suspensivos (. . .) son signo de elipsis explícita. Yo suprimí todo un párrafo y puse [. . .], así entre corchetes, pero a mediados del segundo párrafo el signo es del autor. ¿Qué significa?
9. Fíjese que los puntos suspensivos no equivalen a la perogrullada «etcétera»: aquéllos crean un efecto verdadero que la palabra «etcétera», al contrario, contamina. Discuta esto.

Reelaboración de la tarea

1. Una frecuente dificultad al describir algo que nos agrada mucho es la tendencia a que empalague, y por lo tanto, la descripción parezca exagerada e insincera. Es esencial, por eso, la moderación. Así que sería recomendable que usted escribiera su composición o con fuertes pero pocos adjetivos o con más extensión y menos fuerza.
2. En lugar de símiles, puede usar metáforas en su composición para indicar el estado de felicidad, y hacer referencias al tacto, oído, olores y sabores tanto como a la vista.
3. Palabras esencialmente connotativas de la felicidad serían las que solamente se asocian con ella: tales conceptos como la libertad, la limpieza, el éxito, la amistad o el amor, la salud.

Ejercicios

A. 1. ¿Por qué es muchísimo mejor relatar la euforia en el tiempo presente?
   2. Todas las frases de esta selección son activas, no pasivas, y muchas tienen el «yo» de sujeto. ¿Qué sugiere esto?
   3. Una frase como «veo limpio el aire» es *braquilogía*. ¿Por qué?
   4. ¿Cómo puede ser «centelleante» la voz de un pájaro?

B. Las siguientes palabras son antónimos de ciertas expresiones en el pasaje. Diga cuales.

suelto
orgulloso
culpable
pesado
encogerse

¿Son sinónimos «sentidos» y «sentimientos»?

5 de «La caída de los Limones»

Ramón Pérez de Ayala

Aquella mañana desperté sin que nadie viniera a despertarme. Otros días acostumbraba traerme el desayuno a la cama una de las criadas de doña Trina, la Prisca, moza alcarreña, de rostro esférico, cogote cúbico, torso cilíndrico y faldamento cónico. Con estos calificativos geométricos quiero dar a entender que la Prisca no daba impresión de criatura racional, ni aun irracional, como otros ejemplares que cumplen en los oficios domésticos. Era más bien una cosa, en cuya forma aparente se representaban ciertos caracteres simbólicos: la solidez, la exactitud, la fortaleza, la regularidad. Venía a ser como la cristalización de aquellos agentes oscuros, benéficos o irresponsables que hay en la naturaleza para el servicio del hombre.

Detalles analíticos

Esta selección es una descripción física de una persona que intenta denotar asimismo la personalidad y el carácter del sujeto. Se hace una comparación entre la forma de la muchacha y las de unos cuerpos sólidos, con lo cual se quieren indicar algunas cualidades personales, tales como la robustez, puntualidad y diligencia de la criada. El autor ha empleado, no la personificación de lo inanimado, sino lo opuesto, la deshumanización de la persona: ella no es humana aquí, sino «más bien una cosa».

Claro está que este párrafo es totalmente una caricatura, y es cómico con una gracia que parece desprenderse de (1) la sorpresa de la comparación, (2) el insulto expresado, (3) la imagen fea de una muchacha tan tosca y (4) hasta del uso de adjetivos esdrújulos que añaden su sonsonete burlón. Los sustantivos descriptivos («rostro», «cogote», «torso», «faldamento») y sus adjetivos son todos masculinos, y aun este aspecto gramatical tiende a robarle de cualquier gracia femenina que pudiera tener. La Prisca («priscal» es un lugar campestre donde se recoge el ganado de noche) se supone una campesina de la zona aislada, la Alcarria, y por eso es más bien ignorante que no «racional». Sin embargo, se le tolera porque sí reúne prendas o características apropiadas de su humilde posición. Se nota un paralelismo descriptivo en que hay cuatro elementos que desprecian su apariencia y también cuatro sustantivos que indican sus modestas capacidades.

El autor ha sido explícito en determinar adrede la deshumanización de la criada: dice, «quiero dar a entender»; así él se interpone como manipulador, y ella, pues, no es responsable. Es interesante notar de paso que la intromisión del autor tradicionalmente ha indicado cierta confianza y madurez en la manera en que el escritor controla su materia; es una técnica preferiblemente empleada en el humorismo; y ha sido reciente, desde la Segunda Guerra mundial, que el gusto literario prefiere lo contrario, un tono nada paternal y un enajenamiento del autor.

El menosprecio humorístico de este pasaje también se extiende a todo sirviente—«aquellos agentes oscuros»—que solamente sirven para servir, y de esta manera la crítica o chanza se hace general y no individual.

El vocabulario es moderadamente cultivado, necesariamente así, ya que se trata de una crítica desde una perspectiva algo intelectual y aristocrática.

La tarea

1. Haga una descripción física de alguna persona, tratando de compararla con cualidades o aspectos no humanos, como, por ejemplo, elementos mecánicos, angulares, arquitectónicos, espaciales o matemáticos.
2. La comparación puede resultar ligeramente cómica o bien grotesca, pero debe de ser una concisa caricatura.
3. Puede ser su sujeto una persona que representa un tipo humano o social, o puede ser una persona generalmente conocida.
4. No hace falta utilizar ninguna figura retórica más que la exagerada comparación (y, por supuesto, la deshumanización).
5. Mantenga una superioridad en su punto de vista descriptivo.

Identificación de la selección

«La caída de los Limones» fue publicado por el ilustre escritor asturiano, Ramón Pérez de Ayala, en 1916. La cita es tomada del comienzo del último capítulo, el onceno, que es una especie de epílogo a los hechos narrados en el transcurso de la novelita (o cuento largo). Éstos revelan un caso de frustración adolescente, homicidio y la condenación del asesino, el personaje central. Pues, al empezar el último capítulo, hay un cambio: la seriedad y horror del crimen se olvidan momentáneamente al insertar esta irónica descripción de la criada. Por lo tanto, este párrafo es un *exabrupto*, netamente cómico, y sirve al menos dos propósitos: refresca por su humor y, más importante, disipa cualquier tendencia de conmoverse con los personajes.

Al considerar esta obra en su totalidad, tal enajenación de posible simpatía para con los personajes por parte del lector es una necesidad, igual que la mencionada deshumanización, porque tales recursos obedecen los preceptos estéticos del cubismo, un movimiento artístico de moda durante la segunda y la tercera década de este siglo. El cubismo descompone el llamado realismo del siglo pasado, ya que en lugar de intentar reproducir un objeto o una situación, el cubista reduce la forma realista a planos geométricos sólidos o, en el caso de situaciones humanas, a múltiples perspectivas de un mismo acontecimiento. Así ocurre en «La caída de los Limones», que es un excelente ejemplo del cubismo literario; contiene múltiples perspectivas de un mismo caso, y por eso logra el propósito cubista de ampliar nuestra percepción de la realidad mientras efectúa una creación artística.

A pesar de la naturaleza transitoria de todos los movimientos literarios, lo que sí perdura del estilo ejemplificado aquí es el ingenioso contraste de conceptos, la visión más completa de la realidad y la inteligente frescura expresiva.

Consideraciones adicionales

1. Busque la acepción de «desperté» como verbo no reflexivo.
2. La tergiversación que se logra en la caricatura de este pasaje, ¿se hace con o sin excesiva *hipérbole?*
3. Dibuje a la Prisca con las formas geométricas dadas en su descripción.
4. ¿Dónde hay asíndeton en el pasaje?
5. Las palabras «ejemplares» y «agentes» se refieren a personas, pero a la vez contribuyen bien a la deshumanización de la criada y de todos sirvientes. ¿Cómo?
6. Dé algunos sinónimos por la voz «caracteres» en su uso en el contexto de esta selección.
7. «Venía a ser como» es un giro que aparentemente presenta un símil, pero ¿tiene más o menos fuerza que los símiles más típicos y comunes que usan «parecía» o «era como»?
8. En su opinión, la deshumanización de este pasaje, ¿realmente reduce a la Prisca a una cosa?
9. ¿Diría usted que este pasaje demuestra un vocabulario científico? Dé todos los ejemplos posibles.

Reelaboración de la tarea

1. Como en la selección, su composición solamente necesita una frase con adjetivos, y después alguna aclaración de la «sorpresa» causada por esos adjetivos usados.

2. La caricatura es un buen ejemplo de caracterización incompleta, porque apenas da una faceta o una idiosincrasia del personaje; es una simplificación exagerada e injusta de cualquier ser humano, aún uno fingido. Pues si se presenta aquí un solo aspecto de la Prisca, ¿hasta qué punto puede uno inferir que Pérez de Ayala, en este pequeño caso, contradiga los preceptos del cubismo literario?

Ejercicios

A. 1. ¿Hay otra manera de decir la primera frase de la selección—por ejemplo, sin tener la cláusula subjuntiva—que fuera más eficaz?
   2. ¿Qué motivo práctico requiere que en la segunda frase el verbo vaya primero y el sujeto (la Prisca) después?
   3. Las palabras «cilíndrico», «cónico», «esférico», «cúbico», «geométricos», «domésticos», «simbólicos», «benéficos» son esdrújulas y riman. ¿Hasta qué punto cree usted que la similcadencia—la rima en la prosa—es un defecto?
   4. ¿Qué o quién es el sujeto del verbo «venía» en la última frase?

B. Busque usted sinónimos por las siguientes palabras.
   acostumbraba
   cogote
   rostro
   cristalización
   irresponsable

6 *de El humo dormido*

Gabriel Miró

Siempre hallábamos lo mismo: todo solitario, y detrás de una reja, una mujer idiota y tullida; eran sus ojos muy hermosos, dóciles y dulces; sus mejillas, pálidas de mal y de clausura; sus cabellos, muchas veces retrenzados para contener el ímpetu de su abundancia; pero su boca, su boca horrenda como un cáncer; la boca del alarido de todas las tardes, desgarrada, de una carne de muladar, mostrando las encías, los quijales, toda la lengua gorda, revuelta, colgándole y manándole bestialmente. . . . Me miraba muy triste y sumisa, y se le retorcía una mano entre los hierros, una mano huesuda, deforme, erizada de dedos convulsos; le temblaban los dedos como se estremecen los gusanos.

Detalles analíticos

El asunto de la selección de este capítulo es lo mismo que el del capítulo anterior: la descripción de una mujer. Pero el contraste entre las dos descripciones no podría ser mayor. Mientras Pérez de Ayala no nos permite conocer a la Prisca como un ser humano, Miró nos envuelve en los atributos físicos de la mujer tullida hasta hacernos sentir todo el horror de su persona.

Lo creo tradicional de la técnica descriptiva utilizar la vista como el único sentido perceptivo. Así se ha hecho esta descripción. Pero dentro de este aspecto usual, hay en este caso importantes novedades estilísticas. La selección contiene solamente dos frases, en rigor, pero toda una gama de mutaciones.

Son notables aquí tres elementos estilísticos: (1) la gradación descriptiva, (2) la elipsis de la prosa y (3) la variedad sintáctica. Es gradación en el estilo el progreso, aquí ascendente, del orden y magnitud de las palabras o conceptos, y este pasaje se distingue por la fuerza con que aumentan las impresiones: a los cinco rasgos físicos mencionados—los ojos, las mejillas, el pelo, la boca y las manos—corresponden adjetivos cuyos significados van de la belleza, docilidad y dulzura a la palidez, y luego hasta lo grotesco y horripilante. Es totalmente repulsiva la última imagen y causa la sensación que describe: uno se estremece involuntariamente ante la palabra «gusano». La gradación aquí es una de conceptos gráficos.

La elipsis ya la mencionamos de paso en el capítulo cuatro, pero aquí la vemos no como un adorno escasamente empleado sino como un cimiento de un estilo. La *elipsis* como figura retórica implícita omite en la sintaxis todo lo estrictamente no necesario. Ejemplos aquí son: «detrás de una reja, una mujer» (falta un verbo, como, por ejemplo, «había»); «sus mejillas, pálidas de mal y de clausura» (se omite un verbo y también se pudo decir «*a causa* de mal y de clausura» ya que lo que se explica con el giro es el motivo doble por la palidez); luego todo el resto de la primera frase a partir de «pero su boca» carece de un verbo principal (es decir, «su boca *era* . . .»). Los efectos producidos por la elipsis son varios: la prosa resulta entrecortada, especialmente aquí, donde se puede observar la tendencia hacia la supresión de verbos con la coma o pausa que los reemplaza; la abreviatura requiere más atención por parte del lector porque las palabras que sí hay se recargan de importancia; y, sobre todo, cobra la prosa elíptica cierta inmediación, una calidad instantánea, debida ya a la más rápida serie de impresiones dadas y recibidas. Vale decirse en general que en un mundo dinámico tal como el de hoy, donde la velocidad parece dejarse confundir con la felicidad, la prisa con que asimilamos las sucesivas impresiones adquiere un valor enaltecido, por lo que quiero decir que aunque no es nueva, la elipsis está de moda actualmente.

La variedad sintáctica mencionada como un tercer elemento conspicuo de esta selección es causada en parte por la elipsis y también en parte por la gradación descriptiva: se quiere intensificar por impulsos la descripción hasta un final chocante, de modo que la supresión de varias palabras ocasiona cláusulas polimorfas. Pero también, y bien, corresponde esta variedad de la sintaxis con otros factores: un gusto refinado y muy castizo por la cadencia o ritmo de una prosa que quiere ser única, y un enlace de la forma de la prosa con su contenido, o sea, en este caso, está agitada la sintaxis porque inquieta la descripción misma.

¿Específicamente de qué variedad sintáctica hablamos? Pues, el tumulto de cláusulas es evidente, casi no hay ninguna exactamente como ninguna otra: «Siempre hallábamos lo mismo» es completa como una oración formal, con sujeto (implícito), verbo y complementos (aquí adverbiales); pero «todo solitario» contiene solamente un sustantivo y su adjetivo; «y detrás de una reja» es meramente un separado giro adverbial; «una mujer idiota y tullida» se compone del sustantivo con ya dos adjetivos; «eran sus ojos muy hermosos, dóciles y dulces» tiene verbo, su sujeto gramatical, un adverbio y tres adjetivos; «sus mejillas», «sus cabellos» y «pero su boca» se parecen por sustantivar aisladamente; luego «pálidas de mal y de clausura» presenta un adjetivo con un giro adverbial; y así. Alterna una cláusula larga—«muchas veces retrenzados para contener el ímpetu de su abundancia»—con alguna de una sola palabra—«desgarrada» o «revuelta». Varían muchos tipos de adjetivos: los que se forman del participio pasado (como los dos que acabamos de mencionar), los que se hacen a base del gerundio («mostrando las encías», que modifica «boca», o «la lengua . . . colgándole y manándole») o los que se derivan de una construcción preposicional («de una carne de muladar»). Adjetivos hay con símiles («horrenda como un cáncer»), sencillos («deforme»), hiperbólicos («erizada de dedos convulsos») u originales («la boca del alarido de todas las tardes»), donde la apariencia adjetival ha revestido un sentido más bien verbal («la boca *daba alaridos* todas las tardes»). La variedad sintáctica, pues, es impresionante.

La última consideración en que podemos detenernos por el momento es de la fuerza y nitidez con que el vocabulario de este pasaje logra afectarnos. Hay una ascendente serie de voces de una energía formidable: «ímpetu», «horrenda», «cáncer», «alarido», «desgarrada», «muladar», «revuelta», «bestialmente», «retorcía», «deforme», «erizada», «convulsos», «temblaban», «estremecen», «gusanos».

Finalmente, nos interesa el contraste descriptivo entre los ojos de la mujer y el resto de su apariencia; cierta hermosura presentada por entre el horror general.

La tarea

1. Usted debe crear una descripción que también produzca el horror. Hágala de una persona o animal grotesco.
2. Escriba un sólo párrafo y emplee una gradación (ascendente o descendente) para lograr el efecto deseado.
3. Trate de variar la fraseología sintáctica, utilizando la elipsis siempre que pueda.
4. Escoja el vocabulario con esmero; use palabras fuertes, conceptos chocantes.
5. Utilice una o dos metáforas o símiles para la variación, pero en esta tarea debe predominar la fuerza del lenguaje sencillo pero educado.

Identificación de la selección

El alicantino Gabriel Miró publicó *El humo dormido* en 1919. Es un libro de carácter fragmentario, una novela más bien lírica, de evocaciones que son estampas de la vida y del intelecto. Las breves secciones del libro todas llevan títulos separados; nuestra cita sale de la segunda sección, llamada «Nuño el Viejo», que recuerda unos días de su juventud cuando el autor pasaba las tardes recorriendo la ciudad en compañía de su hermano y Nuño, el viejo criado de la familia. La aparición de la loca en el contexto de la reminiscencia es como una aguda instantánea grabada incisivamente en la memoria; y los gritos de la loca forman un sonido de contrapunto recurrente durante el desenlace del episodio. A los niños, esta mujer paralítica e idiota tanto les fascina como les asusta. El episodio termina así:

> Cuando volvimos al Paseo de la Reina, ya no gritaba la loca.
> Una noche se la encontró muerta su madre.

Y del humo dormido sube siempre el clamor de la lisiada entre alegría de chicos que salen del colegio.

Por lo que queda explícitamente indicado el intenso tenor agridulce de esta evocación, y a consecuencia, de la vida misma.

El humo dormido provee una rica experiencia estética llena de percepción vital, aunque de una manera más bien pasiva. El estilo de esta obra parece muy adelantado, considerando sus muchas semejanzas técnicas con la prosa de muchos autores de hoy.

Consideraciones adicionales

1. Sólo pude mencionar al final del análisis el contraste descriptivo de la selección. Discuta sus efectos: por ejemplo, que si produce el contraste un mejor aprecio de toda la descripción, o si es artificioso, o si contribuye a la verosimilitud del personaje descrito, o si estimula distintos sentimientos en el lector, o si demuestra la disposición del autor hacia el personaje.
2. Ya que esta prosa es elíptica, comprimida, ¿por qué menciona el autor la palabra «boca» tres veces seguidas? ¿Cómo se llama esta figura retórica?
3. Comente usted la posición que asume el autor hacia la mujer tullida.
4. ¿Qué efecto dan los puntos suspensivos? ¿Por qué no puso el autor un punto final después de «bestialmente»?
5. Eso de «contener el ímpetu de su abundancia (del pelo)», ¿qué quiere decir en términos prácticos?
6. Las cláusulas entrecortadas, ¿corresponden a una respiración—digamos, jadeante—además de coincidir con la emoción que se siente al leer?
7. La poca aliteración, ¿a qué breve efecto contribuye?
8. El efecto total del pasaje, ¿es de producir asco, o lástima, o las dos emociones juntas?

Reelaboración de la tarea

1. Es mejor, por su impacto cumulativo, que los detalles más horribles de su descripción vengan al final e intensifiquen el aspecto repulsivo.
2. Revise su composición para que haya (1) variedad sintáctica, (2) una gradación conceptual y (3) un vocabulario convincente.

Ejercicios

A. 1. Escriba todo el pasaje de la selección pero incluyendo lo que la elipsis ha dejado.
2. ¿Qué modifican «triste y sumido»? ¿Son adverbios o adjetivos?
3. ¿Qué significa el prefijo «re-» en la palabra «retrenzados»?

B. Doy a continuación cuatro palabras inglesas que tienen palabras afines en el pasaje. Búsquelas.

subdued
digits
ferrous
ossified

Las siguientes palabras inglesas tienen una relación etimológica con ciertas palabras en la selección. Busque ésas.

malar
gingival
allah

7 de *Una manera de morir*

Mario Monteforte Toledo

El tren se detuvo resollando. Cada escape de vapor se derramaba en la noche del campo sin muros.

Los rostros estaban increíblemente próximos a las ventanillas—máscaras de piel oliveña, la más misteriosa de la tierra; mitad asiática, mitad ecuatorial—con los huesos a flor de carne y la furiosa negrura de los ojos abrillantada por los destellos de un farol. La tensión del momento retenía los gestos, y las miradas se desembocaban con una insolencia pura.

Detalles analíticos

La frase inicial es abrupta, y coincide con la acción descrita; sintácticamente interesante es el participio presente usado como adjetivo, una construcción muy frecuente en inglés pero no ha sido común en español; además, este adjetivo («resollando») está colocado en una posición que suele ocupar el adverbio—un ejemplo de *enálage*. Estilísticamente conspicua es la metáfora de comparar el tren con un caballo. Tal prosopopeya continúa cn la segunda frase cuando el tren evidentemente resuella vapor, vapor que se personifica ligeramente ya que se escapa; lo de derramarse «en la noche» es una *metonimia* por «en el aire o espacio de la noche». El campo «sin muros» presenta este giro adjetival que es notable por ser una *lítote:* pudo haberse dicho afirmativamente «el campo abierto» o «al aire libre», mas el autor ha preferido señalar lo que no hay, así dando énfasis tanto a la falta de restricciones de la civilización como al indicio obvio de que quien hace tal observación (el narrador aquí) es de la ciudad, puesto que nota la falta de lo usual para él.

En el segundo párrafo sigue el impacto de la sencillez. El primer sustantivo presenta inmediatamente el único enfoque de interés descriptivo que este párrafo tiene. «Los rostros», así figurativamente decapitados (la figura es *sinécdoque*)—es decir, despersonificados y universalizados—cobran una irrealidad que se remata en seguida con el adverbio «increíblemente», que pone en duda lo que se ve; luego se deshumanizan estas caras por completo con llamarlas «máscaras». Lo de «máscaras de piel» es una metáfora, por supuesto, pero con la cualidad de «misteriosa» (que es la primera insistencia emocional del trozo), la piel adquiere el valor representativo (sinécdoque) de simbolizar a todos estos seres, los indios. Los adjetivos «mitad asiática, mitad ecuatorial» evocan también los misteriosos orígenes del indio americano. «Huesos a flor de carne» es una fresca adaptación del giro «a flor de» (el cliché es «a flor de agua»), e indica gráficamente los prominentes pómulos tanto como la tirantez de estas caras. El resto de la frase es una antítesis entre brillantez y negrura, aumentando la emoción con el adjetivo «furiosa», que modifica la negrura y la personifica. «Tensión» denota el punto culminante de toda esta selección porque identifica, a su final, la emoción latente desde que el tren se paró tan nerviosamente. Lo de «desemboscarse» es un maravilloso ejemplo de cómo se pueden infundir varios sentidos o connotaciones sobre la denotación: significa literalmente «salir del bosque», mas su uso figurativo (prosopopeya) aquí describe una mirada de ojos hundidos, y bien connota primitivismo, la fuerza del salvaje. El último giro adverbial podría considerarse como un ejemplo de cierto *paradiórtosis* que cambia la famosa «una inocencia pura» a «una insolencia pura»; pero lo básico es que la yuxtaposición de conceptos antitéticos—de «pureza» y cualquier otra característica severa—causa la sorpresa de aparente contradicción *(oximoron).*

El efecto total de este pasaje se logra a través de una técnica algo cinematográfica: el primer párrafo le coloca al lector, sin comentarios, en cierto lugar a cierta hora del día; el segundo párrafo intensifica esta técnica cuando el enfoque se amplifica a abarcar y concentrarse en las caras de las personas esperando en la estación. El impacto esencial del trozo va desde una llegada abrupta a un ambiente misterioso, hostil y amenazador. El resultado es de inspirar miedo. Hay unidad, cohesión y sobre todo una brevedad descriptiva, gracias a que todos los elementos estilísticos contribuyen a concisar esta prosa.

La tarea

1. Hay que componer una breve descripción subjetiva. Se hace esto por referir detalles o acciones desde el punto de vista de la persona que los experimenta; así la descripción resultará una de impresiones y reacciones de la persona que la hace.
2. El asunto debe ser: una llegada repentina.
3. La técnica consistirá en las siguientes consideraciones: (1) enfocar en uno o dos (no más de tres) detalles de la descripción; (2) el uso de frases y cláusulas breves, no balanceadas; y (3) la concisión de imágenes.
4. Debe tratar de emplear algunas de las nuevas figuras retóricas averiguadas en este capítulo.
5. El efecto total será de producir la sensación de hostilidad, con misterio, y recelo.

Identificación de la selección

El pasaje citado en este capítulo es del comienzo de la excelente novela *Una manera de morir* (1956), por el escritor guatemalteco Mario Monteforte Toledo. Todo el primer capítulo de la novela nos informa de las reacciones del protagonista, que ha sido mandado en tren a un pueblo del campo para servir de juez y resolver un caso entre los campesinos indios. Se aprecian las sucesivas impresiones del personaje central no por un monólogo interior, aunque hay alguna que otra vez en que se lee un breve pensamiento suyo, ni por exposición narrativa de tercera persona en que el autor nos lo dijera todo, sino a través de las sutilezas de una descripción subjetiva que nos hace calcular cómo es la persona que así observa su nuevo ambiente.

El valor sicológico de la novela es considerable; sus temas, no obstante, son sociales, morales y políticos. Y su estilo—depurado, compacto e innovador—queda indicado aquí de una superioridad innegable.

Consideraciones adicionales

1. Se puede inferir por la primera frase de la selección que el tren paró pero que su ruido seguía. ¿Cómo?
2. El adjetivo «furiosa» tiene una posición afectiva. Comente.
3. ¿Cómo puede «la tensión» retener los gestos? ¿Qué significa esto?
4. Dé algún ejemplo de dilogía.
5. ¿Qué estaba «abrillantada» específicamente? ¿Cómo pudo ser?
6. ¿Por qué hay un párrafo inicial de solamente dos frases? ¿Qué identidad separada tienen estas dos frases, temáticamente?
7. ¿Qué connota «ecuatorial»?
8. Comente sobre el siguiente hecho: este pasaje emplea su primer verbo en el pretérito y luego todos los siguientes en el imperfecto.

Reelaboración de la tarea

1. Trate de dejar que su prosa avance por conceptos lógicos, un orden de pensamientos parecido al de la selección. Ésta va por asuntos descriptivos así: primer párrafo—tren, vapor, noche; segundo párrafo—rostros, máscaras, piel, huesos, ojos, tensión, miradas.
2. Note que el párrafo grande de la selección describe solamente las caras de los individuos que esperan en la estación, y de la cara solamente menciona la piel, los huesos y los ojos. Sea usted tan conciso y escoja pocos objetos para su descripción.
3. La lista de las figuras retóricas mostradas en este capítulo incluye metonimia, sinécdoque, lítote, enálage, oximoron, dilogía, prosopopeya, metáfora y antítesis, de las cuales usted debe usar tres o cuatro.

Ejercicios

A. 1. Cambie todo el pasaje citado en la selección al tiempo presente y comente su efecto diferente.

2. Esta selección utiliza un orden sintáctico lógico: sujeto-verbo-complemento. Ponga los verbos primero y note su efecto.

B. 1. Doy palabras inglesas afines de voces que usted tiene que encontrar en la selección.

mirror
vapor
mural
stellar

2. ¿Las siguientes palabras son sinónimos para cuáles vocablos de la selección?

negror
resoplar
iluminado
esparcir

8 de *Ceremonia secreta*

Marco Denevi

La cual Natividad, con cara de no haber dormido, con cara de haber estado toda la noche en acecho, pálida y despeinada, se plantó frente a la señorita Leonides y se puso a insultarla clamorosa y concienzudamente. La llamó con nombres erizados de erres y de pes como de vidrios rotos, le adjudicó imprevistos parentescos, le atribuyó profesiones a las que se suele calificar ya de tristes, de alegres; la apostrofó como los peores pecadores seremos apostrofados el Día de Juicio, y, en fin, la exhortó a perpetrar con la pobre ortiga los más heroicos y los menos vulgares usos y abusos. Se hubiera dicho que Natividad se había multiplicado por ciento y que las cien Natividades chillaban todas juntas. ¿De dónde sacaría aquella mujer tantas palabras? La señorita Leonides tuvo la aterradora sensación de una lava volcánica que avanzaba hacia ella y en la que, si no escapaba a tiempo, quedaría atrapada para siempre como un habitante de Pompeya. Para zafarse del río de fuego y no morir, dio media vuelta y, todo lo decorosamente que pudo, se alejó.

(Quiero decir que corrió como una loca, por cuadras y cuadras, hasta que no pudo más. Cuando las piernas se le doblaban como alambres se detuvo. Jadeaba. El tambor del pulso le ensordecía los oídos. Debajo de la ropa todo su cuerpo destilaba un mucílago helado. Los pies le latían como corazones. Bizqueaba y sentía deseos de vomitar. Tardó un siglo en serenarse.)

Detalles analíticos

El asunto del pasaje de este capítulo es básicamente una conversación contada por otro observador, en que se nos relata lo que se dijo y el efecto producido; aquí la interacción fue una confrontación personal algo violenta.

Primero aquí se ve, como en muchas de las selecciones escogidas en los capítulos de este texto, que por sacarlas de su contexto, empezamos *in medias res*. En esta selección, tal es todavía más evidente por el uso de la palabra «cual»: no solamente es obvio que se debe haber mencionado a esta persona inmediatamente antes, sino que de esta manera, nada nueva pero todavía eficiente, se entrelazan los párrafos temáticamente.

En la primera frase, las cláusulas que empiezan «con cara de» sirven de símiles, ya que esta expresión equivale a «con apariencia de», «parecía» o «como de»; las dos cláusulas son perfectamente paralelas, con idénticos giros iniciales e idénticos tiempos verbales, pero se diferencian en que la primera es negativa, la segunda positiva y que el omnisciente autor ha querido decir primero la condición del sujeto y luego atribuirle una motivación específica: que Natividad no durmió solamente porque estaba esperando a Leonides. El tono de esta primera frase es familiar, debido a una construcción laxa, a cierto pleonasmo y a lo conversacional del vocabulario, con giros como «se plantó frente a» y «se puso a».

La segunda frase es de cinco partes que comienzan respectivamente con «La llamó», «le adjudicó», «le atribuyó», «la apostrofó», «la exhortó», exhibiendo asimismo la interesante variación en el uso de complementos directos e indirectos. Pero ya el tono ha cambiado con un decidido empleo de un léxico culto y literario. Son palabras eruditas «adjudicó imprevistos parentescos», «apostrofó» y «exhortó a perpetrar»; y son ejemplos de perceptible gusto literario «erizado de erres y pes como vidrios rotos», por su inmejorable y explícita onomatopeya combinada con aliteración; y lo de «los más heroicos y los menos vulgares usos y abusos», por su paralelismo estructural de dos pares antitéticos que con antífrasis querrá decir lo opuesto (esto es, que perpetúe los más vulgares y los menos heroicos usos y abusos). (Nota: la ortiga mencionada en el contexto se refiere a que Leonides había depositado unas ramitas de esa planta tan fea como irritante a la puerta de la

Natividad, como un acto de cierto maleficio. Claro está que Natividad se ha enojado con eso.) También en esta segunda frase, ha cambiado el carácter declarativo de la primera frase porque el sentido ya es humorístico, hecho con artificio intelectual.

La tercera frase demuestra cómo una hipótesis, claramente indicada por la construcción subjuntiva, puede servir como figura retórica: toda esta frase vale por una metáfora. Además es buen ejemplo de hipérbole. La cuarta frase es *erotesis* (una pregunta meramente retórica), porque sirve de exclamación y no de interrogación; también provee, en este caso, algo así como un eje rotatorio para cambiar el enfoque narrativo de lo que hacía Natividad a lo que sentía Leonides: la pregunta puede representar el pensamiento de Leonides; seguramente la siguiente frase ya enfoca en ella explícitamente.

La expresión metafórica de las últimas dos frases del primer párrafo, sensación que Leonides experimentaba, nos interesa por su indicio de cómo brotan las comparaciones literarias: desde luego que provienen de un franco afán de representar gráficamente la impresión, pero convencen solamente cuando salen de la experiencia sentida en carne viva. Aquí Leonides tiene la sensación de la erupción de un volcán debido a por lo menos tres motivos: (1) Natividad sí ha explotado verbalmente contra Leonides, (2) Leonides se siente totalmente abrumada (el peso de la «lava» que le viene encima) y (3) tiene gran vergüenza, bochorno (el calor del «río de fuego»). La comparación, pues, es adecuada y apta. Ahora, dada la violencia emotiva del momento, resultan chocantes las últimas palabras del párrafo sencillamente porque una persona aterrada y humillada no se aleja con decoro nada, se huye. Recordamos que se quiere expresar disimulado humor por todo este pasaje; y a sabiendas de cómo la frase anterior compadecía de esta víctima insultada, apreciamos ya que el autor prefiere volver bruscamente a su posición de enajenación irónica.

Todo el segundo párrafo es un cambio de dirección narrativa: es un *aparte*, un *apóstrofe* largo, en que el autor le habla directamente, en confidencia, al lector. Ya el propósito parece ser uno de compartir las verdaderas acciones y sentimientos de Leonides (se explica el interés en ella, pues es la protagonista de la novela). Básicamente se rectifica lo de que realmente salió corriendo de la confrontación, y el resto del párrafo evidencia figurativamente su zozobra física y emocional. El tono es bien familiar. Son frases hechas: «correr como un loco», «hasta no poder más», «doblarse las piernas», «tardar un siglo» en hacer cualquier cosa. Lo de «le ensordecía los oídos» es bien redundante aunque pasa por pleonasmo. Que el cuerpo «destilaba un mucílago helado» es mucho más inventivo y persuasivo—un eufemismo algo raro en que contribuye más fuerza, no menos, a la denotación del sudor frío.

La tarea

1. Narre lo esencial de una conversación entre dos personas e indique cómo esta conversación afectó a una de ellas.
2. No describa el escenario; sea conciso en la descripción física de las personas, solamente incluyendo aquellos detalles que expresen sus estados de ánimo.
3. No use el apóstrofe, y no hable directamente al lector.
4. El tono debe ser irónico y, a diferencia del pasaje de la selección, consistentemente irónico: no cambie su posición superior hacia los personajes, no se conmueva de ellos.
5. Al emplear la ironía, habrá oportunidad de utilizar la hipérbole y la antífrasis. Otras figuras retóricas no se requieren, aunque puede usarlas si vienen al caso.
6. Haga una decisión de emplear o no un vocabulario coloquial o artístico y no varíe. Un vocabulario coloquial podría contener frases hechas, giros comunes, clichés, modismos, pleonasmos; uno artístico tendría figuras más sutiles, onomatopeya, aliteración, paralelismo, alusiones, palabras cultas.

Identificación de la selección

Ceremonia secreta, por el argentino Marco Denevi, fue publicado en la revista *Life en Español* como un cuento largo en dos sucesivos meses en 1960, y ganó el premio otorgado por dicha revista en aquel año. El pasaje de nuestra selección ocurre en las páginas iniciales del relato.

Trata *Ceremonia secreta* de un crimen y su venganza en una atmósfera de misterio y de horror que se desarrolla con calma hasta el clímax de un desenlace abrupto, así completando en varios sentidos la comprensión final de todo un rito macabro. Diría yo, para los aficionados de historias de misterio, que este relato tiene semejanzas con la técnica empleada en los cuentos y películas de Alfred Hitchcock. No se sabe al principio de la obra el carácter aciago que tomará la trama, lo que explica en parte que la selección de este capítulo demuestre un humor algo sardónico.

No conozco a ningún autor cuyo estilo no sea variable, dentro de la misma obra; y por miedo de que dejara alguna impresión de que hubiera en esta selección *lapsus cálami*, quisiera afirmar que la alternación entre un tono más prosaico y un tono más erudito proviene de y es requerida por necesidades expresivas del humor irónico de toda la primera parte del cuento. Por lo que indica esto más bien un talento experimentado.

En toda esta obra se demuestra una prosa rica en imaginería original, ágil de acertada diversidad expresiva.

Consideraciones adicionales

1. Busque en la primera frase los ejemplos de aliteración de los sonidos *k* y *p*.
2. Las cinco cláusulas de la segunda frase son humorísticos eufemismos. Diga exactamente lo que Natividad declaró.
3. Se mencionan Pompeya y el Día de Juicio, y esto se llama hacer *alusiones*. Estas dos alusiones, ¿son aptas o exageradas?
4. En la última frase del primer párrafo, «y no morir» es *batología* pura. ¿Está usted de acuerdo?
5. ¿Cree usted que el aparte o apóstrofe es un recurso más apropiado del humorismo o de la seriedad?
6. En «el tambor del pulso» tenemos una expresión en que evidentemente el pulso ya no es pulso sino un tambor. Parece una metáfora sintácticamente ocultada. Discuta esto.
7. ¿Es apta la comparación entre piernas y alambres? ¿Qué correlación tienen?
8. ¿Qué impresiones connota la palabra «bizqueaba»?

Reelaboración de la tarea

1. La narración no es diferente en su esencia que la simple descripción, pero sí añade el elemento de la acción. Revise su composición

con ojo a que la acción (el acto de la confrontación o conflicto) quede claramente indicada.
2. Que haya en su composición consistencia de tono y de vocabulario.
3. Sus usos de las figuras retóricas, ¿son convincentes y no disparatados?

Ejercicios

A. 1. En la segunda frase del primer párrafo, ¿qué es lo que determina el uso del complemento directo o complemento indirecto al comienzo de las cinco cláusulas?
2. Empezando con «le adjudicó» hay cierta insistencia paronomástica. Diga de qué sonido se trata y por qué conviene este sonido al acto de insultar verbalmente.
3. ¿Qué indica la persona del verbo «seremos» tal como se usa al hablar de los pecadores en la segunda frase? ¿A quién incluye?
4. El adjetivo «pobre», ¿qué significa antepuesto al sustantivo?
5. ¿Por qué se dice «ciento» en un contexto y «cien» en otro?
6. ¿La palabrar «chillar» es ejemplo de qué figura retórica?

B. 1. Busque sinónimos en su diccionario para:
acecho
calificar
zafarse
doblarse
serenarse
2. Diga aproximaciones sinónimas para las siguientes frases hechas.
plantarse frente a
dar media vuelta
querer decir
no poder más
tardar en hacer algo
tener deseos de
estar en acecho

9 de «Juan Manso»

Miguel de Unamuno

Era Juan Manso en esta pícara tierra un bendito de Dios, un mosquita muerta que en su vida rompió un plato. De niño, cuando jugaban al burro sus compañeros, de burro hacía él; más tarde fue el confidente de los amoríos de sus camaradas, y cuando llegó a hombre hecho y derecho le saludaban sus conocidos con un cariñoso: ¡Adiós, Juanito!

Su máxima suprema fue siempre la del chino: no comprometerse y arrimarse al sol que más calienta.

Aborrecía la política, odiaba los negocios, repugnaba todo lo que pudiera turbar la calma chicha de su espíritu.

Vivía de unas rentillas, consumiéndolas íntegras y conservando entero el capital. Era bastante devoto, no llevaba la contraria a nadie y como pensaba mal de todo el mundo, de todos hablaba bien.

Detalles analíticos

En seis frases este pasaje expone una narración sumaria de las esenciales características de toda una vida de un hombre. Lo efectúa con moderada antífrasis alegando generalizaciones y relatando selectos detalles que significan mucho, así como anchas pinceladas. Las alegaciones en este caso son que este individuo era tímido, un pobrete, recluído, algo hipócrita y sobre todo un inerte. Claro está que tal clasificación de un ser humano es exagerada, pero al menos corresponde a la tendencia hacia la simplificación, especialmente cuando se critica al prójimo, y por otra parte tales destilaciones de los hechos de toda una vida sí fijan bien la verdadera impresión que algunas vidas dan. No parece segura la tacha de inverosimilitud atribuída a este modo de presentar un personaje si dentro de sus características mayores él opera con aparente independencia.

La sintaxis de esta selección enseña una preferencia por formas tradicionales: cláusulas balanceadas, cierto paralelismo (verbigracia, «consumiéndolas íntegras y conservando entero»); cierta tendencia hacia la sinonimia, que como efecto retórico ensarta expresiones sinónimas («un bendito de Dios, un mosquita muerta», «aborrecía» . . . «odiaba» . . . «repugnaba»); y un predominante gusto por la antítesis conceptual («en esta pícara tierra un bendito de Dios», «le saludaban . . . con un . . . ¡Adiós!», «repugnaba . . . no llevaba la contraria», «consumiéndolas y conservando», «pensaba mal . . . hablaba bien»). Hay una brevedad pulida con párrafos bien cortos que aunque parecen algo arbitrarios recargan la sintaxis con no poca tensión.

De figuras retóricas se notan la inversión antitética final de «pensaba mal de todo el mundo, de todos hablaba bien»; «tierra» vale por una sinécdoque; y «un mosquita muerta» es una metáfora. Importa señalar que «mosca muerta» es una metáfora gastada porque ya figura en el diccionario como expresión hecha y específica y por lo tanto ha perdido su poder imaginativo. De hecho, este pasaje se distingue por su abundancia de frases hechas y de lenguaje coloquial castizo: «bendito de Dios», «hecho y derecho», «arrimarse al sol que más calienta», «calma chicha», (un giro propio de marineros), «llevar la contraria», y «pensar mal de alguien». «En su vida ha roto un plato» es la frase proverbial para describir a una persona timorata, y «vivir de sus rentas» es una frase hecha para describir a una persona que vive sin problemas monetarios, a pesar de que aquí parece tener también sentido literal.

Nota: en cuanto al giro «en su vida», que es una negación sin parecerla, tal recurso tiene alguna frecuencia en español, precisamente en el lenguaje coloquial. Algunos pocos ejemplos más son: «cualquiera sabe eso», que significa que nadie podría saberlo; «a mí con ésas», que quiere decir que él que habla rehusa creer ciertas cosas; y luego hay muchas exclamaciones de la misma índole irónica: «maldita la cosa que hace», que no hace ninguna cosa; «bonito caso éste», un caso muy malo; «valiente negocio ése», un asunto desastroso; etcétera.

En general se observa en toda esta selección una negación del carácter del personaje, una impresión que se percibe tanto por las cualidades negativas enumeradas como por varias expresiones o palabras negativas, como «muerta», «en su vida» (que quiere decir «nunca»), «adiós», «no comprometerse», «repugnaba» (esto es, no aceptaba), «no llevaba la contraria a nadie». Por supuesto que tal se conforma a la opinión que debemos tener de Juan Manso.

La tarea

1. Usted tiene que resumir la vida de una persona en seis frases.
2. Puede escoger o a una persona admirable o a alguien despreciable, mas me dicta la experiencia que es más fácil criticar que no elogiar, y mucho más creíble.
3. La sintaxis ha de remedar la de Unamuno: frases y párrafos cortos, con cláusulas variadas y frecuentemente antitéticas. Deben predominar los verbos en posición inicial de frase y de cláusula.
4. El lenguaje debería ser del uso común de una persona medianamente educada, con frases hechas, refranes, palabras populares.

A continuación doy una lista de otras frases hechas y de otros refranes populares que pueden serle útiles en su composición.

Frases hechas

ir al grano hablar directamente al tema central
a lo mejor probablemente, cuando menos se espera
de poca monta insignificante, trivial
mondo y lirondo puro, limpio
tener mano izquierda tener tacto, astucia
sentido común inteligencia natural normal
a duras penas con mucha dificultad

meter la pata cometer un error, generalmente social
salir con la suya tener éxito personal, ganar
echárselas de presumir de, fingir ser
caerle a uno bien o mal afectarle a uno de tal manera
las malas lenguas personas chismosas

Refranes populares

Hay gustos que merecen palos. Algunos gustos son reprobables (los ajenos).
A lo hecho, pecho. Lo que pasó no tiene remedio.
Todo es querer. Para tener éxito sólo falta la enérgica voluntad.
Al pan, pan, y al vino, vino. Llama las cosas honestamente como son.
De tal palo, tal astilla. Ser igual que los padres.
Quien mal anda, mal acaba. Malos medios producen malos fines.
No hay mal que por bien no venga. Hay siempre algún beneficio aun en las desdichas de la vida.
No se ganó Zamora en una hora. Tenga paciencia.
Con su pan se lo coma. Tenemos indiferencia hacia actos y actitudes ajenas.
Tirar la piedra y esconder la mano. No aceptar nuestra culpa por acciones malas.
Aunque la mona se vista de seda, mona queda. Las apariencias no cambian la naturaleza.
Salir de Guatemala para entrar en Guatepeor. Ir empeorándose su situación.

Identificación de la selección

«Juan Manso» apareció en el volumen de cuentos *El espejo de la muerte*, Madrid (1913), y es uno de los más antologados relatos de Miguel de Unamuno, el famoso intelectual español. Esta cita viene del comienzo, al establecer ahí sumariamente el carácter del protagonista. El cuento es una fantasía algo parabólica en que el completamente pasivo Juan Manso es rechazado del cielo, del purgatorio y hasta del infierno, todo debido a su incapacidad de tomar alguna acción definitiva durante su vida. El desenlace insiste en que él vuelva a vivir una vida en que se esfuerce, porque, ya se sabe, vivir es luchar. Será bien advertir cómo Unamuno, al principio del cuento, arregla sus expresiones con sentido extra: por ejemplo, lo de ser Juan Manso «un bendito de Dios» resulta irónicamente falso; y la frase proverbial «en su vida rompió un plato» se reviste de significancia especial ya que al final se le requiere a Juan Manso que literalmente en su vida haga algo.

Miguel de Unamuno, como novelista y cuentista, ha demostrado gran talento de narrador esquemático, haciendo destacar solamente las características salientes que él ha querido determinar en sus personajes, para así concentrar en algún rasgo principal—pasión o conflicto esencial—de sus caracteres. Hemos visto en otras selecciones de anteriores capítulos de este texto que la exageración de las cualidades de los personajes puede conducir fácilmente a la sátira y caricatura. Unamuno nunca llega a tal punto, precisamente porque su manera de exagerar o amplificar no deforma, sino realza, y también porque hay una seriedad subyacente en sus creaciones de ficción, una agonía, o, en el caso de Juan Manso, quizá un patetismo en sus existencias.

El estilo de Unamuno en su ficción es escueto, muscular, con sencillez castiza, sintaxis tradicional e interesante, vocabulario mezclado de un léxico culto y popular y un tono o actitud siempre familiar, pero también su prosa está recargada de referencias simbólicas, de antítesis y paradojas y de inteligente expresividad.

Consideraciones adicionales

1. ¿Qué quiere decir la alegación de que Juan Manso fue el confidente de los amoríos de sus camaradas?
2. «Camaradas», ¿es término femenino o masculino?
3. En lugar de dar un ejemplo específico, de que sus conocidos le saludaban con un adiós, ¿qué adjetivo solo podría indicar la misma cualidad?
4. ¿Es irónico el uso de «hecho y derecho»?
5. ¿Por qué usa Unamuno las palabras «compañeros», «camaradas», «conocidos» y no «amigos»? ¿Y por qué la descensión conceptual a medida que Juan Manso avanzaba en edad?
6. Diga las interpretaciones de «arrimarse al sol que más calienta».
7. Dé todas las posibles carreras de un hombre, ¿por qué menciona el autor solamente la política y los negocios?

8. ¿Exactamente qué significa «devoto»?
9. Considere las implicaciones de «y como pensaba mal de todo el mundo, de todos hablaba bien», y diga qué aplicación general o universal puede tener.

Reelaboración de la tarea

1. Es necesario en su composición resumir toda una vida en grandes plazos. Unamuno lo hizo indicando cómo era su sujeto (1) de niño, y (2) de adulto. Dos pasos. Su composición debe ser similar.
2. Si su composición es un elogio, trate de que predominen conceptos y expresiones afirmativas; si es despreciativa, use más la negación.
3. Es más castizo que tengan las cláusulas sus verbos primero, como en esta frase.

Ejercicios

A. 1. ¿Qué efecto produce el verbo cuando va en posición inicial?
   2. Hay más uso en la selección del tiempo imperfecto que del pretérito. Comente la diferencia las cuatro veces cuando se usó el pretérito («rompió», «fue», «llegó», «fue»).

B. 1. Busque en el pasaje los términos para los siguientes sinónimos.
   travieso o vicioso
   contradecir
   adagio
   completo
   suficiente
   2. Los siguientes términos son antónimos de palabras que usted tiene que encontrar en el pasaje.
   calmar
   derrochar
   virtuoso
   irreverencia
   cuerpo

10 de *El Señor Presidente*

Miguel Angel Asturias

[. . .] Entrecerró los ojos para guardar mejor lo que pensaba. Al paso del tren los campos cobraban movimientos y echaban a correr como chiquillos uno tras otro, uno tras otro, uno tras otro: árboles, casas, puentes . . .

. . . ¡Qué suerte alejarse de aquel hombre en carro de primera! . . .

. . . Uno tras otro, uno tras otro, uno tras otro . . .

. . . La casa perseguía al árbol, el árbol a la cerca, la cerca al puente, el puente al camino, el camino al río, el río a la montaña, la montaña a la nube la nube a la siembra, la siembra al labriego, el labriego al animal . . .

[. . .]

. . . Una aldea de reflejos corría en un arroyo de pellejito transparente y oscuro fondo de mochuelo . . .

[. . .]

Cara de Angel abandonó la cabeza en el respaldo del asiento de junco. Seguía la tierra baja, plana, caliente, inalterable de la costa con los ojos perdidos de sueño y la sensación confusa de ir en el tren, de no ir en el tren, de irse quedando atrás del tren, cada vez más atrás del tren, más atrás del tren, más atrás del tren, más atrás del tren, cada vez más atrás, cada vez más atrás, cada vez más atrás, más y más cada vez, cada ver cada vez, cada ver cada vez, cada ver cada vez, cada ver cada vez, cada ver cada ver cada ver cada ver cada ver . . .

Detalles analíticos

Experimentamos en este pasaje la narración de un viaje por tren, un transporte literal y figurativo, percibido a través del expresionismo del personaje, inducido por el movimiento del vehículo y expuesto, al final de la selección, por medio de la semiconsciencia.

Se «narra» aquí indirectamente: lo que se ve por las ventanillas del tren no está contado por el autor desde su perspectiva, ni tampoco lo relata el personaje explícita o conscientemente, sino que nos llega en forma de manifestaciones subjetivas suyas. El movimiento físico es la causa de la soltura imaginativa del personaje, y provee la oportunidad de alterar su percepción, induciéndole al viajero la sensación de que él no mueve y el paisaje sí. En toda la última parte de la selección reverbera el metrónomo acompasado de los rieles que estimula lo que podríamos llamar la cadena de la semiconsciencia, los pensamientos que se concadenan al ritmo del tren y que se repiten a través de la somnolencia.

Notamos que la acción narrada es placentera: el paisaje se personifica alegremente—«como chiquillos»—y los objetos vistos se persiguen de un modo juguetón; luego, el vaivén soporífico también es agradable. Sabemos además el aparente motivo para la satisfacción que siente el protagonista Cara de Angel, porque su único pensamiento totalmente consciente (e independizado por puntos de admiración) explica que él se está alejando, escapando, de alguien. Lo que sospechamos es que la repetición finalizante de «cada ver» es la curiosa figura retórica denominada *calambur*, que se define como un cambio de significado resultante de la distinta interpretación de las sílabas de una expresión: aquí valdría «cada ver» por «cadáver». De ser así, este calambur, de extra énfasis ocurriendo en el momento en que el personaje se duerme, es un presagio de su inminente muerte. El presagio es un ardid narrativo de establecido uso; modernamente su empleo se relaciona con fines simbólicos de una obra, antaño quizá se abusara del en el desarrollo de la trama en las novelas románticas. El calambur con su implícito presagio aquí ya trae el elemento de cierta lástima a toda la narración aquí citada, ya que contrasta la felicidad momentánea del viaje y la fatalidad del destino.

Hay varios ejemplos de puntos de suspensión en este pasaje, con variable interpretación: los que he puesto yo, entre corchetes, indican que he omitido alguna sección de la cita adrede; los que el autor ha incluído al fin de los primeros dos párrafos y varias veces en los párrafos tres y cuatro querrán señalar una continuidad interrumpida; los al final de la selección significan terminación, que los pensamientos se suspenden a causa de caerse dormido.

La serie de objetos enumerados en el tercer párrafo tiene una forma empatada, por donde la última cosa mencionada en una cláusula es la primera en la cláusula siguiente. Tal figura de construcción se llama *anadiplosis*. Su empleo ha sido frecuente no solamente, como aquí, en situaciones artísticas de evocaciones mentales, sino también en la prosa no ficción, puesto que la lógica deductiva tiende a proceder a base de encadenar los pasos progresivos.

La tarea

1. Se recomienda ahora que usted escriba la narración de acciones simultáneas. Por ejemplo, en la selección hay el paisaje pasando y las reacciones del viajero. Algunas otras posibilidades son (1) estar cabeceando al leer un libro mientras hay otra escena ocurriendo a su alrededor; (2) actividad en el patio a través de la ventana; (3) algo que pasa en otro cuarto contiguo o en el mismo cuarto.
2. La acción secundaria debe incluir un ritmo que induzca cansancio y sueño en el protagonista, porque así se podrá emplear la técnica del encadenamiento de la semiconsciencia.
3. La sintaxis será entrecortada, remedando la acción soporífica.
4. El vocabulario no puede ser culto, y hay que narrar en tercera persona.
5. Es también aconsejable incluir al final alguna expresión que tuviera sentido simbólico: las palabras repetidas así cobrarán un matiz especial. Por ejemplo, si el protagonista es un estudiante prepa-

rando para sus exámenes, las últimas palabras podrían sugerir que pasará o no.

Identificación de la selección

El Señor Presidente se publicó en 1946 y es una obra maestra. Su autor, el ilustre guatemalteco Miguel Angel Asturias, ha recibido en 1968 el Premio Nobel en Literatura, con lo cual queda proclamada mundialmente la superioridad artística de este gran escritor.

La selección citada proviene del Capítulo treinta y ocho, titulado «El viaje», cerca del final de la novela. Cara de Angel es el protagonista de la obra y trata de escapar la persecución del dictador, huyendo en tren hasta el puerto, donde piensa viajar en barco hasta el extranjero. Conforme con el mencionado presagio, sin embargo, él es prendido en el puerto, lo mandan preso, y después de varios años de encarcelamiento horroroso, muere miserablemente. Y su muerte representa también el aniquilamiento de cualquier sentimiento sano o noble bajo tal opresión.

Atestiguan los críticos que *El Señor Presidente* es una experiencia novelística única. Agrego yo tan sólo que demuestra una asombrante virtuosidad estilística, por encima de su riqueza e impacto temáticos. Cada capítulo, cada escena representa y presenta alguna novedad de estilo: múltiples perspectivas, modos de narración, técnicas descriptivas; variación metafórica, sinestesia, gran uso de lo auditivo que realza toda la sensibilidad expresiva; sintaxis atrevida, neologismos, vocabulario erudito, poético y dialectal a la vez, una superación lingüística. La prosa de Asturias tiene un vigor prismático de sorprendente trascendencia.

Consideraciones adicionales

1. Comente la imagen descrita en la frase acerca de la aldea reflejada en el arroyo. Explíquela.
2. ¿Qué parte de la oración falta en la frase «¡Qué suerte alejarse de

aquel hombre en carro de primera!»? ¿Cómo se explica y cómo se llama este fenómeno?

3. Si la tierra por donde está pasando el tren es plana y baja, ¿cómo puede haber ríos, montañas y siembras también?
4. Por la descripción del asiento del tren, ¿cómo sabe usted que el escenario o ambiente de esta obra es una zona del trópico?
5. En el transcurso de este texto no hemos mencionado ningunos defectos estilísticos. Existen, sin embargo, de tres tipos generales: *solecismos*, que son incorrecciones gramaticales; *anfibologías*, que se definen como ambigüidades sintácticas; y *cacofonía*, efectos acústicos mal sonantes, como la similcadencia. En la frase que dice «Seguía la tierra baja, plana, caliente, inalterable de la costa con los ojos perdidos de sueño», ¿hay ambigüidad con el sujeto gramatical del verbo «seguía»? ¿Con el antecedente del giro adjetival «de la costa»?
6. En el calambur, antes de transformarse «cada ver», en «cadáver», ¿qué quiere decir «cada ver»?
7. Diga la denotación y la connotación de la palabra «abandonó».
8. ¿Por qué piensa el viajero en su estado de semiconsciencia que él va quedándose atrás del tren? ¿Cómo se relaciona esta sensación con su estado de consciencia?

Reelaboración de la tarea

1. Es posible—y quizá recomendable—que usted use una figura retórica como la prosopopeya para comparar afectivamente la acción y su efecto en el personaje.
2. El simbolismo final no tiene que ser un calambur; podría ser dilogía.
3. Lea su composición en alta voz para comprobar que la cadencia de su prosa sea soporífica.

Ejercicios

A. 1. ¿A qué efecto contibuyen los párrafos breves y separados si la narración sigue sin mucha separación temática?

2. ¿Cuáles signos de puntuación predominan y por qué?
3. Nótese que los tiempos verbales alternan de la siguiente manera: pretérito cuando se refiere a los movimientos del protagonista, imperfecto al hablar de las acciones del tren y del paisaje. ¿Por qué?

B. 1. Doy sinónimos, busque su correspondencia en el pasaje.
dicha
entornar
tomar el aspecto de
destellos
mantener
2. ¿Las siguientes palabras son antónimos para cuáles términos del pasaje?
entreabrir
opaco
onduloso
desdicha
cambiante
3. Las siguientes palabras tienen una relación o etimológica o paronomástica con ciertos vocablos de la selección. Búsquelos.
piel
labor
semilla
llano
espalda

II de «El río»

Julio Cortázar

Y sí, parece que es así, que te has ido diciendo no sé qué cosa, que te ibas a tirar al Sena, algo por el estilo, una de esas frases de plena noche, mezcladas de sábana y boca pastosa, casi siempre en la oscuridad o con algo de mano o de pie rozando el cuerpo del que apenas escucha, porque hace tanto que apenas te escucho cuando dices cosas así, eso viene del otro lado de mis ojos cerrados, del sueño que otra vez me tira hacia abajo. Entonces está bien, qué me importa si te has ido, si te has ahogado o todavía andas por los muelles mirando el agua, y además no es cierto porque estás aquí dormida y respirando entrecortadamente, pero entonces no te has ido cuando te fuiste en algún momento de la noche antes de que yo me perdiera en el sueño, porque te habías ido diciendo alguna cosa, que te ibas a ahogar en el Sena, o sea que has tenido miedo, has renunciado y de golpe estás ahí casi tocándome, y te mueves ondulando como si algo trabajara suavemente en tu sueño, como si de verdad soñaras que has salido y que después de todo llegaste a los muelles y te tiraste al agua. Así una vez más, para dormir después con la cara empapada de un llanto estúpido, hasta las once de la mañana, la hora en que traen el diario con las noticias de los que se han ahogado de veras.

Detalles analíticos

He aquí un monólogo interior, una técnica narrativa en boga desde hace varias décadas, y fascinante por su inmediata penetración sicológica. El monólogo interior está libre de ninguna intromisión del autor, y en este respecto lo podemos considerar como un paso más hacia la aparente autonomía del personaje, en relación con la semiconsciencia expuesta en el capítulo anterior de este texto. También es un paso menos libre que el llamado flujo de la consciencia, éste ya una técnica de encadenación conceptual subconsciente, generalmente sin ninguna formalidad sintáctica o gramatical necesaria. En la selección aquí, hay consciente exposición de pensamientos: se leen tres series de ideas y conceptos, pero con una sintaxis semiconvencional, de cláusulas y frases empatadas y alargadas.

Hay tres «frases» en el párrafo, o al menos tres puntos finales. Mas en todo este pasaje se viola la definición gramatical de una oración formal (la cual estipula que la expresión conste de un predicado siempre expresado y un sujeto, que puede ser implícito). Las violaciones son de dos tipos: (1) que muchas oraciones formales se juntan sin poner puntos finales (hay varias ocasiones en las primeras dos «frases» cuando esto ocurre), y (2) que se empieza una «frase» con la mayúscula y se termina con punto final pero que no contiene un predicado, como por ejemplo la última «frase»: («Así una vez más . . . ahogado de veras.»). Debido principalmente a esta libertad gramatical, he dicho que esta prosa es semiconvencional en su sintaxis. La necesidad expresiva que causa este fenómeno estilístico parece ser la formulación de pensamientos, que, para aproximar el acto mental de concebir, debe prescindir de tanta formalidad. El efecto de tal técnica seguramente tiende a convencer de la autenticidad subjetiva del personaje.

Corolario inescapable de la supresión de convenciones sintácticas es el riesgo de cierta dificultad de comprensión por parte del lector. Primero está la necesidad de no perder el hilo pensativo, recordando o inventando antecedentes de cláusula en cláusula. Reconstruyamos un poco el comienzo del citado pasaje:

> Y sí. Parece que es así. [Parece] que te has ido diciendo no sé qué cosa, que te ibas a tirar al Sena, [o] algo por el estilo. [Dijiste] una de esas frases de plena noche [de la clase que están] mezcladas de sábana y boca pastosa, [dichas] casi siempre en la oscuridad o [dichas] con alg[una parte] de [la] mano o de[l] pie rozando el cuerpo del que apenas escucha. Porque [la verdad es que] hace tanto [tiempo que dices cosas así] que apenas te escucho. [Todo]

eso viene del otro lado de mis ojos cerrados, [llegando] del sueño que otra vez me tira hacia abajo.

No es tan difícil, aunque sí requiere extra concentración.

Hasta este punto en el pasaje no ha habido cambios de tiempos verbales. La dificultad de comprensión aumenta en seguida que los haya, como en mucho de la segunda «frase»; siguiendo la reconstrucción:

> Entonces está bien. [Es equívoca esta breve frase en cuanto al tiempo por poder significar consentimiento o en general y ahora o en algún momento pasado cuando «esas frases de plena noche» se dijeran.] [¿Q]ué me importa si te has ido, si te has ahogado o si todavía andas por los muelles mirando el agua[?] [Ya aquí hay tres diferentes tiempos verbales: pretérito pasado, el presente y lo de «mirando» como acción progresiva inmediata.] [Y] además no es cierto porque estás aquí dormida y respirando entrecortadamente[.] [Vuelta temporal abrupta hasta el aparente presente. Ahora empieza un uso de tiempos verbales con distinta significación temporal que la ordinaria—llámase esto *traslación*—como figura de construcción gramatical.) [P]ero entonces [ahora presiento] [que] no te has [habías] ido cuando [en verdad] te fuiste en algún momento de la noche antes de que yo me perdiera en el sueño[.] [Un caos de tiempos sugeridos e indicados que coincide con un esfuerzo de confundir la realidad de que si o no la mujer salió de casa; el protagonista o no lo sabe o no lo quiere saber.] [P]orque te habías ido [alguna vez o aquella vez] diciendo alguna cosa, que te ibas a ahogar en el Sena[.] [O] sea, que has tenido [condición frecuente pasada] miedo, has renunciado[.] [Y] [pero] de golpe estás [has estado] ahí, casi tocándome, y te mueves [movías] ondulando como si algo trabajara suavemente en tu sueño, como si de verdad soñaras [hubieras soñado] que has salido [habías salido] y que después de todo llegaste [habías llegado] a los muelles y te tiraste [te habías tirado] al agua.

La gran confusión de tiempos es la alucinante confusión del protagonista; no puede distinguir entre escenas múltiples, la misma acción de la mujer repetida muchas veces en el pasado y, la última vez, de esta noche. Se especula que debe haber un motivo mental que no permite que él acierte a entresacar la realidad.

Hemos dejado sin comentario las figuras retóricas y el lenguaje de esta selección, debido a la extensión de la consideración del monólogo interior, pero debe estar claro que el vocabulario usado en cualquier técnica narrativa de tanto subjetivismo mental depende del empleo de palabras y giros comunes, lenguaje natural del personaje. Aquí hay uso coloquial, frases hechas típicas y repetición. Los símiles confirman bien el estado mental imaginativo del narrador-protagonista.

La tarea

1. Escriba una narración en forma de una serie de pensamientos de una persona.
2. Hay que «narrar»—esto es, contar algún suceso, acciones, pero desde la perspectiva egocéntrica del protagonista.
3. El asunto debe ser o una verdadera tragedia personal o algo de suficiente seriedad como para causar los pensamientos monologados.
4. La sintaxis estará libre de formalidad sintáctica de oraciones completas.
5. Vocabulario sencillo, con repeticiones de los pensamientos de más importancia subjetiva para el protagonista.
6. Sugiero, aunque sin insistir, que usted sea el protagonista, para así lograr máxima sinceridad o autenticidad. No digo que escriba en primera persona, sino que el suceso venga de la experiencia personal de usted.

Identificación de la selección

«El río» es un cuento breve del escritor argentino Julio Cortázar que aparece en su colección de dieciocho cuentos titulada *Final del juego* (1964). Los cuentos de esta obra demuestran un enfoque temático en las tensiones vitales del hombre moderno, gran ingeniosidad y procedente de ésta, una interesante variación estilística.

«El río» es totalmente un monólogo interior en que el protagonista persiste en su confusión de si su mujer se ha suicidado hasta el desenlace, cuando, al intentarla acariciar, él se admite la realidad de su cadáver ahogado. Se entiende al final que su alucinación débese a su shock, remordimiento, pena y vacuidad repentinos. El cuento tiene gran unidad, tanto a causa de su concisión y compacta técnica narrativa como por la elaboración ceñida de símbolos, tales como la noche, el sueño, sus cuerpos, el miedo y escapismo—diferente para los dos—y sobre todo el agua. El agua aparece como el único duradero refugio para ella; otras veces ha sido el llanto, y esta vez, como bien lo destaca el título, el río.

Consideraciones adicionales

1. Comente los símiles—su calidad y cantidad.
2. ¿Precisamente dónde ocurre este cuento?
3. Hay una aliteración por todo el párrafo. ¿De cuál simple sonido es? ¿Qué efecto puede causar la repetición de este sonido?
4. Diga por qué esta aliteración contribuye tan bien al impacto temático y estilístico.
5. ¿Qué denota y qué connota «boca pastosa»?
6. ¿El monólogo interior utiliza asíndeton o polisíndeton? (Recuerde que es cuestión de conjunciones, y que existen varias.)
7. Cuando se lee «eso viene del otro lado de mis ojos cerrados», a primera vista sólo indica la indiferencia del marido a su mujer, pero sabiendo que ella se suicidó, esto cobra un efecto algo más simbólico. Discuta esto.
8. Busque en el pasaje todas las palabras o locuciones que connotan y refuerzan simbólicamente el asunto principal del cuento, el ahogamiento por agua.

Reelaboración de la tarea

1. Hay que narrar, solamente subjetiva o subconscientemente, pero debe ser una acción sencilla, fácilmente dicha y referida.
2. La construcción de las cláusulas tiene que conformar con típicos pensamientos.

3. El pasaje en este capítulo tiene unidad porque termina, y con una referencia al mundo externo. Sería bueno que su composición también hiciera este contraste.

Ejercicios

A. 1. Es notable en una narración acerca de una confusión mental que no haya mucho uso del modo subjuntivo del verbo. Comente los significados de los tres usos del subjuntivo en el pasaje.
2. ¿Por qué es necesario tener párrafos largos en este tipo de narración?
3. ¿Es verdad que todos los gerundios en el pasaje se pueden considerar adverbios?

B. 1. ¿Los siguientes términos son palabras afines en inglés para cuáles del pasaje?
verily
mixed
undulant
daily
touch
2. Busque sinónimos para los siguientes vocablos extraídos del pasaje.
empapado
rozar
plena
apenas
entrecortadamente

12 de «Anacleto Morones»

Juan Rulfo

—Oye, Francisca, ora que se fueron todas, ¿te vas a quedar a dormir conmigo, ¿verdad?

—Ni lo mande Dios. ¿Qué pensaría la gente? Yo lo que quiero es convencerte.

—Pues vámonos convenciendo los dos. Al cabo qué pierdes. Ya estás re vieja, como para que nadie se ocupe de ti, ni te haga el favor.

—Pero luego vienen los dichos de la gente. Luego pensarán mal.

—Que piensen lo que quieran. Qué más da. De todos modos Pancha te llamas.

—Bueno, me quedaré contigo; pero nomás hasta que amanezca. Y eso si me prometes que llegaremos juntos a Amula, para yo decirles que me pasé la noche ruéguete y ruéguete. Si no, ¿cómo le hago?

—Está bien. Pero antes córtate esos pelos que tienes en los bigotes. Te voy a traer las tijeras.

—Cómo te burlas de mí, Lucas Lucatero. Te pasas la vida mirando mis defectos. Déjame mis bigotes en paz. Así no sospecharán.

—Bueno, como tú quieras.

Detalles analíticos

El análisis del diálogo puede ser más complejo que el de la descripción o de la narración por lo que añade de consideraciones prosódicas y dramáticas: tonos de voz, gestos, miradas—en fin, toda la personalidad de quienes pronuncian estas palabras ya escritas ante nuestra vista. Por lo tanto, este tipo de prosa podría ser que no fuera prosa, sino conversación, o drama. Es tan diferente como para tener su propio criterio y especiales características: (1) Tiene un sólo propósito literario, el de convencer de su verosimilitud o naturalidad. (2) Se suspenden las reglas gramaticales y se permiten cualesquier disparates o defectos, siempre que sean propicios (naturales) del que habla. (3) La puntuación adopta rasgos distintivos, como la raya y el nuevo párrafo por cada diferente interlocutor. (4) La sintaxis debe ya corresponder mayormente a grupos de respiración. (5) La fonética influye en la ortografía. (6) El vocabulario tiene que ser perfectamente corriente y hasta individualizador, con dejos, muletillas, amaneramientos. Y aquí sí es verdad que la perspectiva del autor es igual que la del lector: un espectador. Desde luego que el diálogo se relaciona con el monólogo interior en su efecto narrativo, puesto que de parecida manera los personajes cobran independencia. De aquí que el interés literario con estos tipos de prosa es predominantemente con la caracterización.

La selección de este capítulo es diálogo completamente. La conversación entre Francisca y Lucas, que no son casados, es sorprendente porque (1) el asunto tratado es una seducción, (2) la seducción se va a efectuar entre dos personas algo viejas y nada hermosas y (3) ellos lo comentan francamente, como si tal cosa. La situación es íntima, atrevida y burlesca. Provoca la carcajada especialmente que Lucas la conquistase por insultos: (1) le propone la seducción sin pizca de discreción, (2) le dice que ella es tan vieja que nadie más que él le haría el favor de seducirla, (3) le atribuye ordinariez con las connotaciones de su apodo, Pancha, y (4) para colmo, quiere que la pobre se afeite la cara antes de acostarse. Y por su parte, a Francisca le queda tan mínima vergüenza que su única preocupación es por su «reputación», ya poco inmaculada, a juzgar por el tratamiento de Lucas.

Podemos notar un cambio de tono de voz, al final. En la contesta de Pancha a la última chanza de Lucas, por lo de cortarse sus «bigotes», se percibe claramente que ella ha adoptado una actitud de coquetería.

Y Lucas responde de la misma manera, complaciente, mimándola un poco.

Como los personajes que participan en este diálogo se muestran prosaicos, su lenguaje incluye pocos recursos retóricos. Cuando más, se ve que Lucas quiere recargar alguna que otra palabra con doble sentido (como cuando dice que se vayan «convenciendo» los dos, o al jugar con la significancia del nombre de Pancha), pero no hay usos metafóricos, ni tropos, ni figuras literarias. Hay, en cambio, una abundancia de detalles que contribuyen a la natural sencillez de su conversación: (1) una sintaxis simple, de cláusulas cortas y de una determinación que depende únicamente del uso cotidiano del lenguaje, no de ningún afán literario; (2) una serie de frases hechas, típicas del idioma popular empleado por el mundo hispánico, tales como «ni lo mande Dios», «yo lo que quiero es», «al cabo», «qué más da», «y eso», «¿cómo le hago?», «está bien», «te pasas la vida», «déjame . . . en paz», «como tú quieras» y varios ejemplos más; (3) un vocabulario perfectamente natural, con solamente dos peculiaridades: «ora» es aféresis de «ahora», pronunciación general y hasta arcaica, y la palabra «nomás» que tiene extensión común en varios países sudamericanos—especialmente México—como substituto por «solamente».

Se observa en este diálogo la tendencia moderna de suprimir las explícitas referencias a la identificación del interlocutor de cada articulación; por ejemplo, se omite todo caso de «dijo fulano» o que «mengana respondió de tal o cual manera». Con tal omisión, el diálogo asume una independencia casi completa, libre de intromisiones del autor en expresiones adverbiales que comentaran cómo se hablan.

En la puntuación, este pasaje demuestra la supresión de toda coma innecesaria, y de los signos de interrogación en algunos casos; por ejemplo, «qué pierdes» y «qué más da» son preguntas, pero no llevan los signos de interrogación. La tendencia hoy en día parece ser hacia la supresión de signos de interrogación en las erotemas netamente retóricas o especulativas, cuya entonación es lineal y no asciende al final de la enunciación, incluyéndolos preferiblemente cuando la pregunta termina en juntura ascendente. Dicho de otra manera, parece haber más consistente uso de estos signos cuando se trata de una interrogación de verdad—esto es, cuando pide una contesta más o menos inmediatamente. Será este fenómeno otra ocasión en que la prosa moderna se viene adaptando a las exigencias expresivas, desobedeciendo la lógica gramatical formal.

La tarea

1. Componga un diálogo entre dos personas humildes.
2. El propósito de la conversación será de convencer a una de las personas del empeño o deseo de la otra.
3. El asunto puede ser cualquier cosa, pero en general, si hace falta persuadir, se supone que el asunto es, para la persona recalcitrante, no deseable por algún motivo. Ejemplos posibles son: incitar a comer a un gordo, a tomar a un alcohólico, a un ateo a ir a la iglesia, a un criminal a no robar, o sí a robar, etcétera.
4. La conversación debe ser completa—es decir, llegar a una conclusión—y no debe de tener más de cuatro o cinco declaraciones por persona.
5. La sintaxis tendrá agrupaciones que corresponden a una entonación normal.
6. El vocabulario sólo puede incluir palabras comunes, con frases hechas del uso corriente, sin dialectalismos.

Identificación de la selección

«Anacleto Morones» es el último cuento del libro de quince relatos *El llano en llamas*, publicado en México en 1953 por el notable escritor mexicano Juan Rulfo. Es el único cuento rulfiano en que predomina un fino humorismo, de por sí nada ajeno a la compasiva comprensión inherente en la comicidad, digamos, de los mejores personajes de la literatura tradicional española (Juan Ruiz, la Celestina, Lazarillo, Sancho Panza). En sus momentos disparatados, uno se ríe con estos personajes y no de ellos, nunca de ellos, porque, sencillamente, los queremos. Así con Lucas Lucatero, el protagonista aquí. No parece haber crimen ni pecado que no haya cometido: estafa, roba, comete pecados carnales y abandona a las mujeres, aún a una que tenía un hijo de il, se mofa de la religión y, para colmo, ha asesinado a Anacleto

Morones. No obstante, vea usted que estafó a los estúpidos y crédulos, robó a un ladrón, sedujo a quienes se complacían en ello, ignoraba del nacimiento de su hijo, zahería a la hipocresía religiosa y mató a Anacleto en defensa propia.

El libro *El llano en llamas* exhibe una temática en todos sus relatos que consistentemente se relaciona con la vida de los pobres del campo, en que se presentan chocantes situaciones humanas de violencia, generalmente de gran lástima porque tanto los activos como los pasivos resultan víctimas. De aquí, probablemente, que la ficción de Juan Rulfo se distingue por una penetración sicológica y una conmiseración para con el de abajo, ésta ya una noble característica de la literatura mexicana en general. Por otra parte, estos cuentos tienen gran individualidad separadamente debido a diferentes técnicas narrativas empleadas en casi todos. Algunos rasgos comunes serían: (1) la concisión (párrafos y frases cortas) y completa depuración de todo lo insustancial; (2) cierta preocupación con la eliminación del tiempo como factor narrativo (se efectúa esto por medio de muchos brincos de tiempo en el desarrollo de cada cuento); y (3) una frecuente alternación de perspectivas dentro de cada cuento. Puede que se deban algunas de estas características al perceptible intento de nunca aburrir, siempre estimular tanto el interés como la participación imaginativa del lector. El lenguaje es generalmente de lo más común y escasean usos figurativos del idioma, por lo que cuando sí se emplean, cobran una eficacia expresiva extraordinaria. Es un estilo terso, intenso, viril, acrisolado, nítido y de gran amenidad.

Consideraciones adicionales

1. Sería bueno aclarar que la referencia a «todas» en la primera frase alude a que varias mujeres acompañaron a Francisca a la casa campestre de Lucas para tratar de persuadirle a ir con ellas al pueblo de Amula. Ellas no tuvieron éxito y se fueron. Francisca se quedó. Usted puede deducir por la conversación aquí citada los motivos que ella tuviese.
2. ¿Qué significa «ni lo mande Dios»?
3. Hay una braquilogía, «para yo decirles». ¿Qué sería su equivalente más largo?

4. ¿Por qué dice Francisca que «no sospecharán» si ella no se afeita?
5. ¿Precisamente qué son «dichos»?
6. La expresión «ruéguete y ruéguete» es algo onomatopéyica en que la repetición imita la acción de importunar. ¿Puede usted dar una expresión o palabra sinónima para esto?
7. Diga el significado de «qué más da». Es una expresión frecuentísima en la conversación diaria.
8. Diga el valor del prefijo «re-» en español comparado con su uso en inglés.
9. No creo que «¿cómo le hago?» tenga una traducción literal (palabra por palabra) al inglés que proporcionara igual sentido que en español, y por eso es un modismo. ¿Puede usted encontrar algún otro modismo en este pasaje?
10. ¿La expresión «cómo te burlas de mí» es una pregunta o una declaración?
11. ¿Qué significa «bueno» las dos veces que se emplea en esta selección?

Reelaboración de la tarea

1. El problema más serio en la composición del diálogo es de saber cuales son las expresiones más comunes en el habla normal del pueblo. El escritor tiene que depender de su propia experiencia—de las conversaciones que él ha oído y de las en que ha participado—para crear lenguaje típico. Si usted carece de mucha experiencia en español, tendrá que inventar lo que le parezca uso común y luego aceptar que el profesor le corrija sin más justificación que un «porque así suena mejor».
2. Si usted siguió la tendencia moderna de no poner la identificación explícita de los personajes, como era de esperar, es recomendable que de vez en cuando uno de ellos mencione en el contexto de su declaración el nombre de la otra persona. Así se mantiene claro quien habla.
3. Usted no necesita emplear el humorismo en su composición, pero entretiene más si sí. De todas maneras, durante la persuasión será importante aducir varios motivos sucesivos para convencer de los beneficios o ventajas en acceder a la súplica. Si los motivos son inteligentes, su composición será mucho más aceptable y convincente.

Ejercicios

A. 1. «Yo lo que quiero es» y «Lo que yo quiero es» son perfectamente equivalentes, ¿no? Y, ¿también «Lo que quiero yo es»?
2. ¿Hay o no hay cierto predominio sintáctico de series de tres conceptos en el habla de las dos personas de esta selección? Si sí, ¿a qué efecto contribuye?

B. 1. Busque expresiones sinónimas en el pasaje para los siguientes términos.
hacer caso de
con tal que
ya que
después
al fin
qué nos importa
faltas
tener mala opinión
absolutamente no

13 de «Anita»

Alonso Zamora Vicente

Daniel Aguilar entró, cómo de costumbre, en *La gatita blanca.* Observó desde la escalinata la móvil onda de las parejas de baile. Apretadas, sudorosas, un vaho sonrosado, recubriéndolas. Algunas parejas iban con los ojos cerrados, sin apenas moverse, tan ceñidas. Puercos, pensó Daniel y buscaba a Anita por los rincones. Nada. No se veía ningún vestido blanco. Se sentó en el mismo sitio que la noche anterior. Rechazó dos o tres mujeres pintarrajeadas que intentaron torpemente atraerle. Anita no llegaba. Comenzó a impacientarse. Otro café. Nunca ha habido aquí tanto humo, apenas se ve la entrada. ¡Ya! Pero no, no era. Esta es más bien delgada. O quizá es más delgada Anita, no me acuerdo bien. Quizá no se ha atrevido a volver con su vestido viejo, o a lo mejor el frío de anoche le hizo daño. Otra pieza, otra vez el ondulado pestañeo de las parejas, silenciosas, arrimadas, llena la pista. Debe de hacer mucho tiempo que espero, piensa Daniel mirando el cenicero lleno de colillas, y de diversos tickets. El camarero sonríe mirándole, estúpida aquiescencia, y Daniel adivina que le compadece. Será imbécil. Se levanta, empieza a pensar que lo de anoche no fue más que fruto del whisky, y que ya no vale la pena, pero en la guardarropa le dan su gabardina, ya no muy nueva ni muy caliente. Y Anita regresa a su memoria con el abrigo puesto sobre los hombros, el suyo, Jean en la cartela de seda negra, recién hecho, Anita tenía frío, Anita estuvo conmigo, la niebla en la calle, parejas abrazadas en los portales, frío, los autos pasando de prisa, San Hilario 60, y vivía sola. «Ya nos veremosa la misma hora», y ¿Si fuese yo a su casa? Callejeo sin rumbo, los escaparates últimos, las luces chillonas, una calle del barrio sur, lejos, desencanto, fatiga, la noche creciendo, las sirenas de los barcos como ayer, como siempre, tenaces, taladrando, laxitud de la espera fallida, una pena brotando, impasible a las llamadas de las busconas por las esquinas, y Anita rubia, Anita con frío, Anita no vino, cansancio indefinible cuando Daniel Aguilar se dejó caer en la cama, harto de andar inútilmente bajo la niebla escurridiza, un olor de tierra húmeda acosándole, olor a moho, a cerrado, frío, Anita perdiéndose por una calle abajo, olor a Anita, mal humor y ya amaneciendo.

Detalles analíticos

Esta selección narra eventos durante toda una noche. Sencillamente, una muchacha no ha venido a su cita con el muchacho, y éste pasa hasta el amanecer buscándola en vano. Al menos, tal parece ser el asunto a primera vista.

Puesto que hemos examinado la perspectiva narrativa primero en capítulos anteriores, así lo haremos aquí. Esta selección tiene variables perspectivas: (1) hay el punto de vista del autor enajenado, ejemplificado por «Daniel Aguilar entró . . . observó»; (2) después, donde se lee «Puercos, pensó Daniel» comienza un cambio de enfoque hacia el personaje, cambio que se efectúa al llegar a «Nunca ha habido aquí tanto humo, apenas se ve la entrada», ya que estamos leyendo los pensamientos de Daniel, como en un monólogo interior; (3) y luego se transforma hasta la persona verbal: «O quizá es más delgada Anita, no me acuerdo bien», así colocándonos en primera persona, comprobando el cambio completo de perspectiva. Este contraste focal de autor/personaje se mantiene en una alternación persistente: la observación aparentemente objetiva varía constantemente con la impresión subjetiva. Si tal técnica de doble perspectiva no es nueva en sí, al menos ahora su forma escrita parece novedosa: por una cosa, antes, cuando pensaba el personaje, eso se escribía en bastardilla, pues ya no; por otra, si hablaba el personaje, aún consigo mismo, se exigía un nuevo párrafo y su separación por signos de puntuación (rayas o comillas), pero esto tampoco ahora parece hacer falta. (Hay un caso del uso de comillas para relatar las palabras exactas de otro personaje, Anita, en una ocasión anterior, pero las comillas significarían más que transcripción literal, duda, posible divagación imaginaria del que recuerda.) El efecto de correrlo todo junto es de obligarle al lector a más concentración, más inmersión. Asimismo, tanta alternación de perspectiva tiende a aminorar la percepción de ningún punto de vista específico, el lector va dejándose informar sin importarle cómo se le informa—lo cual ciertamente implica más participación del lector.

El efecto general de este pasaje, y de la prosa de todo este cuento, es de producir una experiencia vicaria inmediata para el lector; de hecho, todos los recursos estilísticos—perspectiva, ambiente, tono, figuras retóricas, sintaxis, vocabulario—se combinan para que uno experimente lo que es relatado. Ya esta identificación vicaria es un motivo literario que goza en estos años de una extensa popularidad entre los autores más intelectuales.

Algunos detalles específicos de esta selección son los siguientes. Las figuras retóricas usuales son pocas: algunas metáforas débilmente expuestas, casi sin querer, como la «onda de las parejas», el «fruto del whisky» y las sirenas «taladrando»; una anáfora con el nombre de Anita; alguna referencia sinestética, «las luces chillonas». Lo que no hay es indicativo: faltan figuras de exageración o afectación, como hipérbole, metonimia, sinécdoque, y faltan las de sutileza literaria, como el oximoron, la dilogía, calambur, alusiones. Por ende, el principal efecto de esta selección es de evitar la exageración y la intelectualización para mejor actualizar la naturalidad de la situación narrada.

Hay muchas consideraciones sintácticas. De los verbos observamos ocho o nueve distintos tiempos y aspectos: la normal alternación entre el pretérito indefinido y el pretérito imperfecto al contar lo pasado, pero también el pretérito perfecto y aún el llamado presente histórico («apenas se ve la entrada» por «apenas se veía . . .»), lo que trae con su uso la consabida actualización del pasado; después, hay dos usos del futuro imperfecto, una vez de probabilidad y otra de acción venidera absoluta; infinitivos, participios pasados, un subjuntivo y, finalmente, un predominio de gerundios, cuyo empleo se intensifica hacia el final del pasaje. Los gerundios de esta prosa cobran una vitalidad nueva. Van muchas veces sueltos, otras muchas veces unidos a un sólo sustantivo. En ambos casos resultan en una elipsis verbal y una braquilogía general; son usados también como si fueran adjetivos ordinarios; y si me fuera lícito transferir algo el significado de un término técnico, diría que hay también uso siléptico del gerundio. *Silepsis* es falta de concordancia y vale como justificación por incorrecciones como «la gente se fueron», por ejemplo; extendiendo su definición a incluir cualquier caso de obediencia a la lógica expresiva o afectiva por encima de reglas gramaticales, el uso siléptico del gerundio guerría decir su empleo lógico aunque ilegal, como cuando va en este pasaje, poéticamente, al final, aislado, una última imagen suelta: «y ya amaneciendo». Podría haberse escrito «y ya amanecía», pero el impacto durativo de un participio presente es verdaderamente singular.

La elipsis extiende a la omisión completa de verbos: «Otro café.», «la niebla en la calle», «Anita con frío», que son intentos de traer la situación descrita dentro de la mente del lector como si fueran fugaces impresiones suyas, como lo son para el protagonista. Hay quien denomina similares omisiones de formas sintácticas de anacolutos—esto es, defectos—mas si la sintaxis corresponde a los impulsos cognitivos subjetivos, no hay incorrección ninguna sino muy al contrario una necesidad auténtica y *sui generis*. Pues, la relativa anarquía sintáctica en este pasaje es general: van aisladas casi cualesquier partes de la oración—verbo, nombre, pronombre («el suyo») y adjetivo sencillo («apretadas, sudorosas,»)—o de la frase adjetival («olor a moho», «a cerrado»), adverbio («lejos»), adverbio como interjección («¡Ya!») y frase adverbial («como ayer, como siempre»). Todo lo cual provee una multitud de núcleos sintácticos separados que, aunque alternan con oraciones completas, predominan y, hacia el final, asumen una intensificación nerviosa hasta el colapso físico del protagonista.

Vemos que como en todos los casos de narración genuinamente subjetiva, el vocabulario no deja de ser coloquial. Aquí la mayoría de las palabras son bien comunes: «apretadas», «sudorosas», «puercos», «pintarrajeadas», «cenicero», «colillas», «tickets», «imbécil», «whisky», «portales», «callejeo», «escaparates», «pena», «busconas», «harto», «moho», «mal humor». Pero no todas, ya que hay de cuando en cuando unas voces de más cultura: «vaho sonrosado», «ondulado pestañeo», «aquiescencia», «fallida», «laxitud», «fatiga», «escurridiza».

La tarea

1. Narre los eventos de toda una noche o de todo un día; deben ser sucesos no sensacionales sino ordinarios, pero con una creciente tensión (gradación). Podría ser cuestión de una búsqueda, o que uno se pierde o pasa un tiempo en desesperante espera, o alguna situación cualquiera que llega a ser intolerable.
2. Hay que presentar, como la selección, una sucesión de imágenes subjetivas intercaladas dentro de observaciones imparciales.
3. No importan las figuras retóricas afectivas. Omítalas.
4. El vocabulario debe ser una mezcla de palabras cultas y un léxico común, con predominio de éste ya que el asunto será ordinario.
5. Para llegar a una estrecha concisión de la prosa que usted compone, busque lo específico y huya de generalizaciones. Por ejemplo, en el pasaje fue mejor decir sencillamente que Daniel entró en *La gatita blanca* y no que entró en «un cabaret que se llamaba» tal. Con impresiones específicas se puede dejar que el lector se dé cuenta de lo obvio o fácilmente deducible.

Identificación de la selección

El pasaje citado es del cuento «Anita» de la colección de siete relatos titulada *Smith y Ramírez, Sociedad Anónima*, Madrid (1957), por Alonso Zamora Vicente. El autor es el bien conocido profesor de la lingüística románica de la Universidad de Salamanca. Sus cuentos son interesantes combinaciones de influencias modernas, tanto de temas como de estilos. Se percibe una aguda penetración en la realidad cotidiana del ser humano, en sus ideales y sus limitaciones, de la continua paradoja del vivir.

«Anita» se destaca por su manejo técnico de los recursos estilísticos modernos, y por una profundidad sicológica. Resulta que Anita no existe, ha sido imaginaria, y que la tragedia personal se debe a la pérdida del anhelado ideal. Se nota una insistencia en las frecuentes referencias subjetivas de Daniel a la sordidez de su ambiente, por lo que la búsqueda de la muchacha idealizada, por su contraste, se vuelve frenética, imperativa y entonces tristemente ilusoria.

Por concerniente al estilo, creo haber dejado indicios evidentes de su superioridad: es inventivo, de iconoclasta impacto e interés, y está impregnado de elementos y valores que realzan su compasiva expresividad humana.

Consideraciones adicionales

1. Deduzca, a través de las observaciones mentales de Daniel, cómo es.
2. ¿Es *anfibológica* la frase «Daniel adivina que le compadece»?
3. Debo explicar que «Jean» es el nombre del sastre que hizo el abrigo de Daniel, y que tal nombre está cosido en el forro del abrigo; Daniel se lo prestó a Anita—o cree habérselo prestado—la noche anterior a la escena descrita en la selección. San Hilario 60 es la dirección de Anita. Estos detalles específicos circulan en el cerebro febril de Daniel mientras espera y desespera. Son como distintos aspectos o puntos de evidencia que él quiere recordar. ¿Por qué?
4. Discuta las posibles interpretaciones de «llena la pista» y de «callejeo». ¿Es «llena» verbo o adjetivo? ¿Es «callejeo» verbo o sustantivo?
5. ¿Qué significa «recubriéndolas» y por qué está separada, así adrede, por la coma?
6. Dé ejemplos de un gerundio usado como adjetivo.
7. ¿Hay asíndeton en esta selección?
8. Haga una lista de todos los posibles indicios dados en este pasaje de que Anita no es más que el producto de la imaginación de Daniel.
9. ¿Qué conclusión saca usted de la extensión de uso de las palabras inglesas «whisky» y «tickets»?

Reelaboración de la tarea

1. La sintaxis de su composición debe tener: (1) una variación de tiempos verbales, (2) un predominio de gerundios pero colocados para rendir su máximo impacto, (3) frases nominales y (4) supresión de nexos solamente gramaticales.

2. La gradación en la acción de su narración, ¿es convincente y sin exageración?
3. La prosa ejemplificada en este capítulo es difícil de imitar porque reúne varios niveles de atención literaria: contraste de perspectivas, sintaxis inventiva, autenticidad sicológica, mezcla artística de vocabulario. Una tercera redacción de esta tarea podría ser conveniente.

Ejercicios

A. 1. Busque los dos ejemplos de adjetivos descriptivos que van antepuestos al sustantivo (la posición afectiva) y verá que ocurren solamente cuando hay un efecto artístico presente. ¿Podría usted calcular un motivo para esto?
2. ¿A qué se debe, según su opinión, la escasez de adverbios del tipo usual, los que terminan en «-mente»?
3. Determine si predomina el orden sintáctico usual—sujeto-verbo-complemento—o si hay más inversiones.

B. 1. ¿Las palabras siguientes son sinónimas por cuáles palabras del pasaje?
vidriera
canción
escalera
desaliento
rehusar
2. Busque sinónimos para las siguientes voces sacadas del pasaje.
chillona
brotar
acosar
callejeo
ceñido
3. Haga una lista de las frases hechas que aparecen en este pasaje.

14 de *Tres tristes tigres*

Guillermo Cabrera Infante

[Y] el proyectil servil que le cae al camarero en su cara larga como pista de aterrizaje, que en un final da en diana de ojo ajado, y el tipo se niega a servirnos y se nos va de la vida como van las arenas al mar (música de Sabre Marroquín) y arma tremendo bochinche allá en el fondo del océano con el dueño poseidónico y nosotros en el más acá muertos de risa en la orilla del mantel, con este pregonero increíble, el heraldo, Bustrófono, éste, gritando, BustrofenóNemo chico eres un Bustrófonbraun, gritando, Bustrómba marina, gritando, Bustifón, Bustrosimún, Busmonzón, gritando, Viento Bustrofenomenal, gritando a diestro y siniestro y ambidiestro. Tuvo que venir el dueño que era un gallego calvo y chiquito y gordo, más bajito que el camarero, que al ponerse de pie al fondo no daba pie y parecía que se puso de rodillas, un Busto que anda.

—¿QUE OS PASA?

—Queremos (dijo Bustro tan tranquilo, de perfil) queremos quomer.

—Pero, haziendo burlas, amiguito, no se come.

—Y quién hizo burlas (preguntó Bustrófactótum y como él era un tipo largo y flaco y con muy mala cara y esta malacara picada por el acné juvenil o por la viruela adulta o por el tiempo y el salitre o por los buitres que se adelantaban, o por todas esas cosas juntas, se paró, se puso de pie, se dobló, se triplicó, se telescopió hacia arriba agigantándose en cada movimiento hasta llegar al cielo raso, puntal o techo).

Y el dueño se achicó, si es que podía hacerlo todavía y
fue el hombre increíblemente encogido, pulgarcito
o meñique, el genio de la botella al revés y
se fue haciendo más y más y más chico,
pequeño, pequeñito, chirriquitico
hasta que se desapareció por
un agujero de ratones al
fondo-fondo-fondo,
un hoyo que
empezaba
con
o

Detalles analíticos

Esta selección es una espléndida muestra de la acrobacia lingüística. Es estílísticamente ingeniosa, e intelectual, con cierto descaro y humor, y no sé si inanidad—pues aún ésta valdría como comentario y hasta apta designación para el mundo de hoy.

Urge, más que análisis, explicación, o al menos aclaración de algunos de los elementos de esta prosa. Primero, he empezado la selección *in medias res* por motivos de brevedad. El narrador es uno de los personajes, y nos cuenta en forma solapada, familiar, una anécdota que presenció mientras cenaban él y dos amigos en un restaurante. El narrador acaba de soltar una carcajada tal que con la fuerza sale volando la servilleta que tenía a la boca, con las consecuencias aquí narradas.

Los juegos de palabras son constantes, festivos, estrafalarios y múltiples. «El proyectil servil» juega con servilleta-servil y con su rima. «Da en diana de ojo ajado» tiene que «dar en diana» es modismo por acertar en el centro del blanco, pero Diana era la diosa de la caza, lo que hace del elogio antonomástico «Diana de ojo certero» una burla que lo convierte en «a ojo ajado»—esto es, ojo feo, deslucido, ya refiriéndose no al ojo de Diana sino al del camarero (también hay la similaridad fonética en «ojo ajado», tal juego siendo una figura retórica llamada *paronomasia*); y además existe el modismo «dar en el ojo a uno» que significa hacer algo con intención de enfadar a la persona, lo que sería una connotación para toda esta acción, de verdad. Después, «se nos va de la vida como van las arenas al mar», como lo indica la expresión entre paréntesis, es textualmente parte de la letra de una canción popular por el músico mexicano Sabre Marroquín. Lo de «en el más acá muertos de risa» es una diversión con cambiar por antítesis el concepto familiar de «el más allá»—o sea, la ultratumba—donde tradicionalmente se piensa en la otra «vida», existencia espiritual; pero aquí se habla de este lado de la muerte, la vida, y que estaban «muertos» de la risa.

Se entabla un tremendo juego con el nombre de un amigo del narrador, a quien se le dice (aunque no aparece en este pasaje) Bustrófedon. La palabra «bustrófedon» significa, en rigor, una manera de escribir en que se hace un renglón desde la izquierda a la derecha y el próximo de derecha a izquierda, la inversión alternativa de la dirección de la escritura. Su posible interpretación, como sobrenombre, sería de sugerir una persona de carácter inestable, bohemio, cuando menos. El gozo de sacar un sinnúmero de derivaciones de este nombre (jugar con derivaciones se denomina *parégmenon*) ocurre mucho durante la novela, y en este pasaje empieza con «Bustrófono» (relacionado con «micrófono»), y sigue con «BustrofenóNemo» (es metátesis de «fenómeno», y también admite una traducción fonética al inglés «*no-name-o*» ; «Bustrófonbraun» (del científico Werner Von Braun), «Bustrómba» («tromba»), «Bustifón» («tifón»), «Bustrosimún» («simún»), «Bustromonzón» (del inglés «*monsoon*») y «Bustrofenomenal» (que se explica en sí). Las palabras «tromba», «tifón», «simún» y «monzón» todas significan borrascas, tempestades. Otra referencia a este nombre se hace despreciando al propietario del restaurante de un «Busto» que anda. Y finalmente, «Bustrófactótum», pues, factótum es el individuo entremetido.

Es modismo y frase hecha lo de «diestro y siniestro» para significar «al azar, a todas partes», y en este contexto la añadidura de «ambidiestro» es *paronomasia*, la extensión por similaridad fonética, y también hace que se recuerde el significado original de «diestro y siniestro» (respectivamente, «la mano derecha» y «la mano izquierda»), agregando ahora el uso de ambas manos. Y por si fueran pocas las asociaciones, toda esta expresión recalca en el verdadero significado del nombre del que está gritando, el amigote Bustrófedon, tan zigzagueador.

Siguen los juegos. Hay «queremos quomer», curioso por referirse a grafemas tanto como por obedecer al gusto anafórico y aliterativo.

Entretener la vista con esta prosa es uno de sus propósitos; vimos que las mayúsculas de la pregunta del dueño indicaban pronunciación fuerte. Ya «haziendo» tiene ortografía distinta por otro motivo: es un dialectalismo de cuchufleta porque el propietario es gallego con evidente pronunciación interdental, probablemente afectada a juzgar por su empleo del algo arcaico complemento «os». Se juega entonces con «ponerse de pie» y «dar pie» (acciones opuestas, ya que la primera es «erguirse» y la segunda «tocar al fondo») y «ponerse de rodillas» (una posición intermedia). Lo de «mala cara» y «malacara» parece ser otro trueque óptico, admitiendo también el juego que «malacara» es adjetivo que se refiere a cierto tipo de caballo. Los giros «el acné juvenil» y «la viruela adulta» se mantienen en una estructura paralela con adjetivos contrastantes. La palabra «salitre» fonéticamente sugiere «buitre» (aunque el referirse a que un ave de rapiña pudiese haberle picado la cara a Bustrófedon parece lindar con abusar de la hipérbole). Los verbos que ascienden en una gradación, «se paró», «se puso de pie», «se dobló», «se triplicó», «se telescopió» incluyen las siguientes consideraciones: «doblarse» quiere decir «desplegar el cuerpo» y al decir «triplicar» se confunden etimologías (ya «doblar» se refiere a dos veces, «triplicar» a tres veces) aunque indica la acción de estirarse tres veces mayor; y «telescopiar» es un *neologismo* (en inglés también existe como neologismo con sentido de multiplicarse de extensión, aunque ignoro si ha cundido del todo). Finalmente, vale mentar las últimas palabras de este pasaje, «un hoyo que empezaba con o», porque terminan ingeniosamente la reducción descrita de múltiples maneras: primero, visualmente, por su letra minúscula «o»; segundo, conceptualmente, todo hueco es circular; y tercero, «hoyo» no empieza con «o» sino con «hache», así que es otro juego ortográfico (también pudiera haberse dicho «un hoyo que acababa con o», en cuyo caso se hubiera tenido razón terminante).

Importa relacionar los mayores conceptos metafóricos. La comparación del restaurante con el mar tiene una insistencia que opera desde la primera mención de la palabra «mar»; sucesivas alusiones al mar son: «allá en el fondo del océano» («fondo» hace juego con «fonda», designación más típica y popular en Cuba para un restaurante), «poseidónico» (alusión al dios del mar), «en la orilla» (pero cómicamente la orilla «del mantel»), «al fondo no daba pie» y las varias referencias a tempestades del mar. Después tenemos el humorístico contraste entre la estatura de un personaje al levantarse y la pequeñez de otro personaje al retirarse de la escena; la comparación es hiperbólica físicamente, después contrasta posiciones de clase, de impuesta superioridad y sufrida inferioridad, y encima de todo la visual empequeñecimiento de la escritura que ópticamente reduce al propietario a la nada, pues, la «o» vale también por «cero».

El vocabulario de esta selección, si apartamos los juegos paronomásticos, etimológicos y derivativos, consiste en palabras y giros corrientes, tales como «el tipo», «arma tremendo bochinche», «muertos de risa», «calvo y chiquito y gordo», «largo y flaco», «todas esas cosas juntas», «pulgarcito o meñique» y «chirriquitico». Es auténtico lenguaje popular de Cuba.

La tarea

1. Narre una anécdota de la vida que usted ha observado; el asunto puede ser una disputa cómica, un error social, un momento penoso, algo así.
2. Hay que jugar con un nombre propio, con sus derivaciones y con conceptos antitéticos. Si usara, digamos, el apellido de usted mismo, sería más conveniente y de mayor interés. Convénzase que no es tan difícil como parezca.
3. Use un vocabulario popular generalmente, pero los juegos tendrán que incluir acepciones más cultas y cierto intelectualismo.
4. Puede emplear contrastes metafóricos. La sintaxis será encadenada.
5. No es necesario crear un efecto óptico con la escritura.

Identificación de la selección

Tres tristes tigres se publicó en 1965. Su autor es el estimado escritor cubano Guillermo Cabrera Infante, y esta novela ha ganado el premio Biblioteca Breve de la Editorial Seix Barral. La selección citada en este capítulo es tomada de la parte llamada «Rompecabeza» (pp. 208–209).

Como la mayoría de las novelas interesantes modernas, esta obra presenta una experiencia panorámica y esencial; en este caso, el asunto, si no el protagonista, es la vida nocturna de la ciudad de La Habana. El efecto total es calidoscópico: secciones de monólogo interior, de flujo de la consciencia, efectos oníricos, epístolas, conversaciones sueltas (por un ejemplo, la de una sola persona hablando por teléfono), diálogos prolongados, narración desde varias personas verbales; personajes de toda laya—niños, gente pobre, mujeres de variada vida, artistas, turistas, bohemios; hay varios efectos visuales (como el de la selección), dibujos, poesías intercaladas, uso de barras soslayadas (//) para separar pensamientos o para crear versificación en prosa, una página impresa regularmente y en la hoja opuesta la misma escritura impresa al revés, a reflejo de espejo, emblemas, meras listas de nombres famosos, lineas tachadas como ~~así~~, notas al pie de página explicando referencias textuales de otro idioma, asociaciones de múltiples idiomas; y en la temática no menos variación, pero el predominio de los efectos ambientales de la noche habanera en la vida humana.

Es una novela llena de brío y amor a la vida, frescura, vaya. El tono burlesco es archipresente: el título es juguetón, viene de un trabalenguas; hay muchas secciones disparatadas; comienza la obra con el arenga bilingual de un maestro de ceremonias en el famoso club nocturno de La Habana de antaño, la Tropicana, y dice así: «*Showtime!* Señoras y señores. *Ladies and gentlemen*», y esta novela es un *show*, espectáculo de la versatilidad, un muestrario de una gran flexibilidad, capacidad y comprensión artísticas. El capítulo que se titula «La muerte de Trotsky referida por varios escritores cubanos, años después—o antes» trae, en efecto, siete secciones que relatan el mismo asesinato al modo particular de José Martí, José Lezama Lima, Virgilio Piñera, Lydia Cabrera, Lino Novás Calvo, Alejo Carpentier y Nicolás Guillén. Pues tanta explícita y acertada virtuosidad técnica convence, por si hiciera falta, de que los autores comprenden la estilística mejor que nosotros los estudiosos. Bueno, pero tanto ellos como nosotros la apreciamos con el mismo aplauso.

Consideraciones adicionales

1. De acuerdo con las consideraciones expuestas en el capítulo anterior, comente el uso aquí de elipsis, silepsis, la formación de cláusulas y los distintos tiempos verbales.

2. Explique los casos de asíndeton y los de polisíndeton.
3. Los usos de repetición en el primer párrafo—además del juego sobre el nombre de Bustrófedon—¿a qué efecto contribuyen?
4. ¿Qué significa «el genio de la botellas al revés»?
5. Dé un ejemplo de un símil que es derivado de una descripción hiperbólica.
6. ¿Qué signo de puntuación falta en «—Y quién hizo burlas»? ¿Por qué no es necesario del todo?
7. Los paréntesis en el párrafo penúltimo a partir de «preguntó Bustrófactótum» no parecen tener sentido gramatical. ¿Puede usted deducir algún motivo por su uso?
8. ¿Cree usted que es hipérbaton lo de «al fondo no daba pies»? De ser así, ¿para qué efecto lo emplea el autor?

Reelaboración de la tarea

1. Las figuras sintácticas de más relieve en esta composición deben ser, como en la selección, juegos de paronomasia, de ortografías y de antítesis, además de los derivativos (paregmenon).
2. Para lograr un efecto humorístico, usted tuvo que exagerar. ¿Lo hizo demasiado?
3. La prosa de esta selección provee un dechado de pirotecnia estilística. Creo que bien indica que el arte de escribir está por crear, pero, ¿cree usted que esto es artificial o es artificioso?

Ejercicios

1. Comente usted el valor estilístico y literario de una prosa con recursos visuales en la escritura.
2. Según los detalles sobre el estilo moderno que hemos estudiado por todo este texto, ¿puede usted calcular o teorizar sobre posibles direcciones que tomaría la prosa en el futuro inmediato?

15 de «Al cabo de los años»

José María Castillo-Navarro

Más que deseo, es fuerza; más que fuerza, necesidad; más que necesidad, hartura. Demasiadas palabras, demasiados gestos, demasiados ademanes: al ir a pasar, al detenerse, al tomar asiento, al hablar, al asentir, al negar, al permanecer en silencio, al quitarse de en medio, o al hacer acto de presencia.

—¡Sal!

—¡Muévete pronto!

—¡A cualquier parte!

—¡Dondequiera que puedas!

—¡Parece mentira!

—¡Santo Dios!

—¡Qué paciencia, Dios mío!

—¡Qué paciencia!

Todo por la maldita carne. Por la asquerosa y repugnante obesidad que de un tiempo a esta parte ha ido desarrollándose alrededor del hueso. Diez años. Diez sin pisar la calle por no ser capaz de subir después los ciento y pico escalones sin diñarla. Diez años sin caminar. Diez sin tener que limpiar el polvo o el barro de sus zapatos. Diez sin descalzarse y acariciar sus pies como hacía antes al acostarse. Diez sin bajar los bordillos de las aceras, sin resbalar, sin tropezar con nadie; sin discutir o pedir disculpas. Diez sin ver un corro, un atropello, una disputa o un racimo de gente desgajándose del estribo de cualquier tranvía. Diez sin hacer cola ante el autobús, sin llegar a casa calado o jadeante. Diez sin conocer el descanso o la cansera. Diez sin vigilar la hora, sin llegar tarde a ningún sitio. Diez sin concertar una cita, sin acudir a un encuentro o convenirlo. Diez años supeditado a los demás, amarrado a ellos, esclavizado; pendiente de cuanto quieran contarle espaciada y condescendientemente como si él no fuera alma de este mundo y no tuviese que importarle nada de cuanto de paredes afuera ocurre sin su concurso. Diez años sin poder valerse. Diez.

—¡Va . . .!

—¡Ya va . . .!

—¡Jesús!

—¡Cuánta impertinencia!

—¡Qué vida!

—¡Qué vida la de una, Señor!

—¡Cualquiera diría!

—¡Quién como tú!

—¡Quién!

Quejas y más quejas, lamentaciones: por tener que calzarle los zapatos, por abrocharle los botones, por arrascarle el cogote, la espalda o la cabeza; por limpiarle los pies, por enjugárselos, por agacharse cada vez que se le cae algo de entre manos. Mil tropiezos: en el pasillo, en las puertas, en el lavabo, en la cocina, en el recibidor, a la hora de comer, así se levantan o cuando vuelven del trabajo. En cualquier parte.

—¡Hala!

—¡Di que sí!

—¡Tú no te preocupes por nada!

—¡Lo haces a propósito y no aciertas!

—¡Naturalmente que estorbas!

—¡También ahí!

—¡Y allí!

—¡En todas partes!

Siempre lo mismo: de una pared a la otra, de una habitación a la contigua, de un rincón al de enfrente. [. . .]

La pared de encima, la del lado derecho, y la del izquierdo, la de enfrente y la de espalda: blanco, blanco, blanco, blanco. . . Un día y otro. Una noche y la siguiente. Uno y tres meses. Años. Siempre igual, sin variación posible. Idénticas voces, idéntico desprecio, idéntico paisaje, idénticos sueños. De la cama a la silla, y de la silla a aquélla: el tacto de la colcha, el crujido del somier, el calentor o la humedad de las sábanas, el olor de la almohada, la luz eléctrica, la visión propia en el espejo, la soledad, el tedio, y la tristeza. . .

[. . .]

Y cavila y decide que lo mejor es acabar, arrimar la silla a la ventana, empinarse como le dé Dios a entender y echarse abajo. Y según piensa, hace. Y según hace, se alegra. Y según se alegra, apalanca el respaldo contra la pared, se encarama, intenta una vez y otra y, como no pasa a través de la abertura, desiste, baja de nuevo y se sienta donde siempre.

Detalles analíticos

La selección de este capítulo contiene casi un cuento completo, pues faltan solamente dos secciones del medio. Y a manera de una contestación a la pregunta de discusión del capítulo anterior, creo que una de las direcciones que puede adoptar la prosa futura es hacia una vuelta temática a valores más humildes, de menos sensación y más sentimiento.

Queda clara la emoción fundamental de este cuento como una de patetismo, el patetismo de una vida humana, y quizá, por extensión, el patetismo de *la* vida humana. La extremada futilidad de la existencia del obeso protagonista sin nombre debe conmover por su completo aislamiento individual, por su intensa frustración y hasta por el repulsivo desprecio que despierta su persona: nos disgusta lo feo o lo débil precisamente cuando más comprensión urge, ya que somos todos feos y débiles en algo, y aún en mucho.

Combinar—integrar—el contenido y la forma ha sido siempre una característica virtuosa del arte literario; en el presente caso tal integración opera cabalmente. Para recalcar en la monotonía desesperante de la vida del protagonista, nada más indicado que la repetición de palabras, conceptos, cláusulas breves, en fin, fraseología monótona. El *anadiplosis* que vimos en la selección de Miguel Angel Asturias (Capítulo 10) que allí indicara tan sólo encadenamiento de pensamientos soporíficos, ya aquí quiere unir-sin-soltar, edificar trabajosamente la gradación e intensificación de la narración. Las secciones de exposición narrativa de este cuento todas se caracterizan por sus repeticiones en series, repeticiones rítmicas y conceptuales; una insistencia penetrante;

impresiones firmes, martillazos. Y progresan hasta el clímax de la última frase del cuento, que más que desenlace es desmoronamiento, desmoralización total, desintegración.

Desde luego que no todo el cuento es narración expositiva. Hay un contraste de tales secciones con otras de diálogo—que tampoco es diálogo sino series de exclamaciones sueltas, a modo, y muy eficaz, de cincelar el hostil ambiente humano que rodea al protagonista. Así las exclamaciones representan lo externo al personaje, mientras los pasajes de exposición narrativa indican su propio estado mental; la sociedad contra el individuo; quizá un poco de causa y efecto. Y tanto la falta de nombre del protagonista como la anonimidad de las voces declamatorias tienden a universalizar la angustia de la situación humana expuesta.

Carece este cuento de lenguaje figurado y de los tropos y general imagenería tradicional que embellecieran artísticamente. Ya aquí eso no pega. Ni el asunto, ni la breve trama, ni los temas permiten la suavidad o idealización de tales deslices estéticos; antes, al contrario, todo aquí es fealdad implacable, sin posible aspecto que redimiese ni el insoportable ambiente físico, ni la severa incomprensión humana, ni la desagradable tragediacita individual. Por lo tanto, los recursos literarios empleados son más bien bastos: la repetición, sobre todo, y enumeraciones de todo cuanto le rodea y afecta al protagonista—cosas que *no* puede hacer; las cosas que hace mal, estorbando a otros; cosas que otros hacen por él, de malísima gana; la monotonía de las cosas que ve y siente y huele y toca; las series de gritos e imprecaciones; y finalmente la lista de rápidas acciones con que fracasa en su intento de actuar, de librarse de esa esclavitud pasiva de no ser «alma de este mundo».

Conforme a la técnica de enumeración, abundan cláusulas nominales. Y abundan también giros de modo verbal indeterminado: de infinitivos. Tal predominación sintáctica agrega positivamente un carácter inerte, pasivo y estático a la prosa, sugiriendo un estancamiento de incapacidad, inercia y hasta de grotesca permanencia. La imposibilidad de acción así viene intercalándose con el cemento mismo de la sintaxis y presagia y refuerza la desesperanza temática.

Adjetivos, casi no los hay. Encuentro tres netamente descriptivos o calificativos: «maldita», «asquerosa» y «repugnante» que se refieren muy señaladamente a la obesidad del protagonista, esa única característica física suya—monumental, inmovilizadora, fatal. Las consecuencias de tan limitada adjetivización son de contribuir a la enumeración descriptiva, de hacer destacarse más los pocos adjetivos y de añadir una objetividad al relato. En efecto, predomina cierta sequedad narrativa de un reporte sobre hechos no comentados; mayormente los hechos hablan por sí, sin obvia intromisión del autor, y sin participación calificativa del único personaje siquiera. En cuanto a la distancia mantenida por el autor, piense, por un ejemplo, cómo la última frase del cuento casi pide un adjetivo o adverbio final—algo así como «y se sienta, *sepultado*, donde siempre»—pero cuanto mejor se aprecia el golpe, sin embargo, sin ningún calificativo. Por otra parte, cosa bien notable es que el protagonista no parece capaz de hablar, pues no se conjuga ningún verbo en la primera persona singular; él no nos cuenta su historia, y por lo tanto no se entromete tampoco en nuestra comprensión de su situación. En total, la supresión de cualquier subjetivismo está lograda en esta ficción con admirablemente calculada destreza.

El vocabulario contiene una necesaria mezcla de palabras de diversos niveles; por ejemplo, son algo literarias las voces «tedio», «cavilar», «supeditado», «condescendientemente» por un lado, y por otro es jerga callejera lo de «diñarla», «¡Hala!» y varias otras de las exclamaciones. Predomina, no obstante, un vocabulario típicamente corriente, popular de Andalucía, sin distinción estética quizá pero por eso mismo honesto, humilde y convincente.

La tarea

1. Narre un caso patético de la vida, uno que contiene una verdadera desdicha esencial. Puede haber o no un defecto físico que contribuya al fracaso de este ser humano, pero necesariamente hay que exponer su incapacidad frente al mundo y la intolerancia del mundo hacia él.
2. Decida sobre un defecto básico en el carácter de su protagonista (incapacidad de actuar, como en la selección, o bien el opuesto de enérgica actividad, o de cobardía frente a las oportunidades, o de estupidez congénita y crónica). Trate luego de ajustar la sintaxis para reforzar el defecto, de coincidir, si posible, con la deficiencia.

3. De hecho, hay que ajustar todo su relato al defecto del protagonista: si no puede actuar, pues él no hablará en todo el cuento; si es muy activo, sólo habla él; también habla él excesivamente en caso de ser un gran tonto. Y por supuesto que las series de cosas que se mencionan en el transcurso de la narración dependerán del defecto que padece el protagonista, así indicando lo que *no* puede hacer en la vida, lo que hace mal, etcétera.
4. Mantenga la misma estructura que la de la selección: alternación entre prosa expositiva y series de gritos o exclamaciones. De esta manera se indican bien las reacciones de las personas alrededor del protagonista sin tener que identificarlas.
5. Sea objetivo como autor: deje que o el protagonista o las cosas hablen por sí.
6. El fin de su composición tiene que ser muy pesimista, genuinamente trágica.

Identificación de la selección

José María Castillo-Navarro es español de Murcia, y ha publicado varias novelas y cuentos en los últimos doce años. El cuento incluído en este capítulo es del libro *El niño de la flor en la boca* (1959). No es «Al cabo de los años» extraordinario en la producción literaria de Castillo-Navarro sino representativo de su entrañable comprometimiento al valor humano del individuo. Sí sin embargo se destaca esta historia por una compleja compenetración de forma y contenido, donde el asunto, el tema básico, la perspectiva narrativa, la sintaxis y el lenguaje todos se complementan con una concordancia tan unificadora como impresionante. De esta manera, este cuento demuestra *convergencia* estilística: un efecto literario definido como el uso de varios artificios, todos los cuales concurren a producir un mismo efecto.

El estilo de este distinguido autor, como queda ejemplificado en esta selección, es una fresca ráfaga en la atmósfera literaria contemporánea. Tiene muy interesantes aspectos y algunas novedades; novedades moderadas, no sensacionales sino justificadas por su contexto, creadas a través de las exigencias expresivas de la totalidad de la obra. Así el estilo resulta subordinado a los valores temáticos, controlado pero inventivo; tiene una transparencia brillante.

Consideraciones adicionales

1. La primera frase de este cuento, ¿cómo es elíptica?
2. El sujeto gramatical de la primera frase es indefinido, pero después de leer el cuento, ¿qué es lo que es más que deseo, fuerza y es hartura?
3. La palabra «hueso», ¿qué tropo es?
4. Si «desgajar» significa «arrancar una rama del árbol», ¿por qué es muy apto su uso en el contexto dado? Diga el juego de palabras que hay.
5. «Cualquiera diría» es una especie de lítote al inverso ya que niega afirmando. De ser así, entonces ¿qué significa esta expresión?
6. Diga las connotaciones que se percibe cuando se repite «blanco, blanco, blanco, blanco . . .».
7. ¿Cómo podría decir usted que el párrafo que comienza «La pared de encima . . .» es sinestético? ¿Con qué propósito lo es?
8. Diga todos los ejemplos de patético humor que hay en esta selección.

Reelaboración de la tarea

1. Para seleccionar el caso que usted quiere narrar, considere a alguien en su sociedad de quién muchos se ríen desconsideradamente.
2. Dividiendo en dos redacciones esta tarea, la primera se ocupará de tener un sujeto adecuado, de enseñar la antipatía de la sociedad que le rodea y de mostrar su fracaso personal e inevitable; en la segunda redacción, se concentrará en la sintaxis y el vocabulario que deben concordar todo lo posible con la incapacidad humana descrita.
3. Para que su composición tenga un sabor totalmente humilde, hace falta narrar cosas y acciones completamente vulgares, del vivir diario.
4. Debe haber supresión de todo gusto refinado, de tropos inventivos o embellecedores. Aquí lo importante es el valor individual de este ser humano, por pobre, feo o inadecuado que sea.

5. El autor (usted) debe esconderse bien: no intromisiones ni reflexiones o impresiones de usted—al menos no explícitamente.

Ejercicios

A. Busque sinónimos para las siguientes frases hechas tomadas de la selección.

hacer cola
de en medio
como le dé Dios a entender
parece mentira
de nuevo
de paredes afuera
echarse abajo
de entre manos
hacer acto de presencia
de un tiempo a esta parte

B. Para los siguientes sinónimos busque sus referencias en la selección.

mojado
secarse
cansancio
subirse en
apoyar
frazada
inclinarse
rascar
corredor
abotonar

Advertencia final

A manera de cerrar el estudio de este texto con empeño ejecutorio, nada más recomendable que escoger una de las tareas de los capítulos anteriores y llevarla a una amplificada conclusión, a realizar, pues, un cuento completo. Tal sería la última asignación de este curso.

Al acabar este texto, resulta que no se ha terminado el estudio de la prosa. Por una cosa bien evidente, no se han agotado, ni muchísimo menos, las consideraciones técnicas de la estilística hispánica moderna. Por otra, si el método empleado en el transcurso de este libro ha tenido alguna acogida, su efecto ha de despertar interés y no saciarlo.

De ser así, me complazco en concluir con tal principio.

Bibliografía selecta

Abreu Gómez, Ermilo, *Discurso del estilo* (México: Universidad Nacional Autónoma de México, 1963).

Alonso, Amado, et al., *El impresionismo en el lenguaje* (Buenos Aires: Universidad de Buenos Aires, 1936).

———, "The Stylistic Interpretation of Literary Texts," *Modern Language Notes*, LVII (1942), 489–496.

Alonso, Martín, *Ciencia del lenguaje y arte de estilo*, 5a ed. (Madrid: Aguilar, 1960).

———, *Evolución sintáctica del español* (Madrid: Aguilar 1962).

Baker, Sheridan, *The Complete Stylist* (New York: Thomas Crowell Company, 1966).

Bally, Charles, *El lenguaje y la vida* (Buenos Aires: Editorial Losada 1941).

———, *Traité de stylistique française* (Paris: Klinksieck, 1951).

Bonet, Carmelo, *La técnica literaria y sus problemas* (Buenos Aires: Nova, 1957).

Castagnino, Raúl H., *El análisis literario* (Buenos Aires: Nova, 1967).

Cressot, Marcel, *Le style et ses techniques*, 4a ed., (Paris: Presses Universitaires de France, 1959).

Criado del Val, M., *Análisis verbal del estilo* (Madrid: Revista de Filología Española, Anejo LVII, 1953).

———, *Fisonomía del idioma español* (Madrid: Aguilar, 1962).

Devoto, G., *Nuovi Studi di Stilistica* (Florence: Le Monnier, 1962).

Fernández Retamar, R., *Idea de la estilística* (Santa Clara: Universidad Central de Las Villas, 1958).

Gili y Gaya, Samuel, *Curso superior de sintaxis española* (Barcelona: SPES, 1955).

Goodman, Paul, *The Structure of Literature* (Chicago: University of Chicago Press, 1962).

Guirard, Pierre, *La estilística* (Buenos Aires: Nova, 1956).

Hatzfeld, Helmut, *Bibliografía crítica de la nueva estilística* (Madrid: Gredos, 1955).

———, «Títulos españoles 1960–1964 para una nueva edición de la bibliografía crítica de la estilística romance», en *Lengua, Literatura, Folklore: Estudios dedicados a Rolodfo Oroz* (Santiago de Chile: Universidad de Chile, 1967), pp. 205–255.

Kany, Charles E., *American-Spanish Syntax* (Chicago: University of Chicago Press, 1951).

Kayser, Wolfgang, *Interpretación y análisis de la obra literaria* (Madrid: Gredos, 1954).

Martínez Bonati, F., *La estructura de la obra literaria* (Santiago de Chile: Universidad de Chile, 1960).

Murry, J. Middleton, *El estilo literario* (Mexico: Fondo de Cultura Económica, 1951).

Pedemonte, Hugo, E., *Metodología estilística de la literatura* (Montevideo: Ciudadela, 1949).

Reyes, Alfonso, *La experiencia literaria* (Buenos Aires: Editorial Losada, 1942).

Ullmann, Stephan, *Lenguaje y estilo* (Madrid: Aguilar, 1968).

Vela, Arqueles, *Análisis de la expresión literaria* (Mexico: Andrea, 1968).

Wellek, René, and Austin Warren, *Theory of Literature* (New York: Harcourt, Brace & World, Inc., 1949). (Traducción española, *Teoría literaria* (Madrid: Gredos, 1953).

Gramáticas y Diccionarios

Alonso, Martín, *Gramática del español contemporáneo* (Madrid: Guadarrama, 1968).

Gili y Gaya, Samuel, *Diccionario general ilustrado de la lengua española* (Barcelona: SPES, 1964).

Ramsey, M. Marathon, *A Textbook of Modern Spanish* (revised edition), (New York: Holt, Rinehart & Winston, Inc., 1956).

Real Academia Española, *Diccionario de la lengua castellana* (Madrid: Espasa-Calpe, 1956).

———, *Gramática de la lengua española* (Madrid: Espasa-Calpe, 1931).

Toro y Gisbert, M. de, *Pequeño Larousse Ilustrado* (Paris: Larousse, 1967).

Glosario de términos literarios

acepción "acceptation." One of the senses in which a word is taken.

aféresis "aphaeresis." Suppression of one or more letters at the beginning of a word.

aliteración "alliteration." The repetition of the same sound in succeeding words.

alusión "allusion." A specific reference to famous works or people.

ambiente the environment or setting of work.

anacoluto "anacoluthon." A lack of agreement or of concordance among grammatical elements.

anadiplosis "anadiplosis." A repetition of the last word of one clause at the beginning of the next.

anáfora "anaphora." A repetition of words for affective reasons.

anfibología "amphibology." An unintentional ambiguity resulting from grammatical misuse.

antífrasis "antiphrasis." An ironical designation, such as giving something a name contrary to its basic qualities.

antítesis "antithesis." The contrast of opposites, especially in contiguous contexts.

antónimo "antonym." An expression opposite in meaning to another.

antonomasia "antonomasia." The use of a proper name to express quality, e.g., "He was a Hercules."

aparte "aside."

apóstrofe "apostrophe." Interruption of a discourse to address the reader or audience directly; aside.

asíndeton "asyndeton." The omission of conjunctions.

asunto The subject matter of any writing.

batología "battology." An unmotivated repetition of words, generally annoying.

braquilogía The substitution of a short phrase for a much longer one, e.g., «Creo que soy honrado».

cacofonía "cacophony." The repetition of disagreeable sounds; the dissonant quality of the prose.

cadencia "cadence." The measure or rhythm of a literary passage.

calambur A type of pun in which syllables of adjacent words may be run together into one word to make a different meaning; e.g., «a su lado» becomes «azulado», «plata no es» becomes «plátano es», etc.

carácter One's personality, makeup, intrinsic qualities; NOT a fictional character.

caracterización "characterization." The development of fictional characters.

caricatura "caricature." The exaggerated and distorted characterization of a human being in prose or poetry.

castizo An adjective used to denote a word, expression, or custom, purely Spanish or Castilian in origin or acceptance; hence a figurative term meaning "purely and typically Spanish."

cliché (also acceptably written in Spanish as **clisé**) "cliché." a hackneyed expression.

clímax "climax." An English word, now sometimes used in Spanish, that denotes the moment of highest tension in any literary work; *punto culminante* is more «castizo».

coloquial "colloquial." Any expression in a language that is in common conversational use.

comillas "quotation marks."

connotación "connotation." The meaning or meanings suggested by any term beyond its basic dictionary meaning; any affective significance attributed to it.

contexto "context." The immediate environment of any literary element.

continuidad "continuity." The progressive development of part or all of any work.

contrapunto "counterpoint." In music, a combination of melodies; in literary pieces, a simultaneous or intermittent incidence of complementary references, frequently symbolic.

convergencia "convergence." The practice of using several stylistic devices that concur in expressing the same idea or in producing the same literary effect.

corchetes "brackets."

cubismo "cubism." In literature, an early twentieth-century reaction to nineteenth-century realism characterized by sectioning the supposed reality of narrated events into variegated shapes and perspectives.

cuento "short story."

culto As an adjective, cultured, refined, erudite, learned, etc.

denotación "denotation." The specific dictionary meaning of any expression; its primary or most objective sense.

desenlace "denouement." The outcome of a literary work.

despersonificación The taking away of human qualities.

dialectalismo "dialecticism." Any expression whose principal usage is confined to one geographic area and not generally used throughout the language.

diálogo "dialogue." Written conversation, not necessarily restricted to two speakers.

dicho "saying," "slogan."

dilogía "ambiguity." Giving any word a double meaning; also called *equívoco* and *anfibología*.

disparate Any outlandish thing said or done, a wild statement, excessive exaggeration.

divagación "digression." Wandering from the main point.

editar To publish.

elipsis "ellipsis." The suppression or omission of syntactical elements.

enajenamiento The distancing of an author from the events and characters he creates.

enálage The substitution of one part of speech for another, e.g., an adjective for an adverb, a noun for a verb, etc.

enfoque "focus."

epílogo "epilogue." An after-word in any work.

epístola "epistle." Letter; the term usually refers to a piece of fiction in which correspondence forms the body of the work.

equívoco See *dilogía*.

erotema "interrogation."

erotesis A question in discourse merely to set up a proposition to be answered by the speaker himself; rhetorical question.

escenario Setting; in drama, scenery.
esdrújulo A term used to describe a word whose accent falls on the third to last syllable.
esquemático "schematic." The skeletal arrangement or minimal framework of fictional elements.
estampa "impression." As a literary term, any short piece of nostalgia, usually concerning a remembered place. Also "cheap print."
estilo "style." The technical and affective qualities of literature.
etimología "etymology." The study of word origins and derivations.
eufemismo "euphemism." The substitution of a mild term for a harsh one.
exabrupto A brusque change of tone, as occurs in bathos.
expresionismo "expressionism." Another early twentieth-century literary movement characterized by the transposition of reality according to one's own sensibilities.
figura de construcción An affective alteration of grammatical construction.
figura retórica "figure of speech." Any formally recognized affective trick of language on the literary level.
fonética "phonetics." The study of language sounds.
frase (1) "sentence"; (2) phrase or part of a sentence.
frase hecha "stock phrase," "proverb," "cliché."
gerundio "present participle" (*-ndo* form). In Spanish this term is not restricted to present participles used as nouns, as the term "gerund" is in English, but is applied to any present participle.
grafema "grapheme." The basic unit of written language, a letter that corresponds to a basic phonological or structural category.
hipérbaton "hyperbaton." Alteration of the usual syntactical order.
hipérbole "hyperbole." Exaggeration for the purpose of heightening the effect.
imagen (1) "image"; (2) "simile" (not so used in this text).
imagenería "imagery" (a neologism from English). The employment of metaphorical concepts. (Synonyms in Spanish are *tropología* and perhaps *translaticio*, although this latter term refers specifically to connotative qualities of language.)
inmediación "immediacy." A fictional quality of apparent presence and participation in a narrated event or described locale.
in medias res "in the midst of the thing." A Latin phrase used to

label a passage that immediately plunges the reader into a situation already going on.

interjección "interjection." Any expression interspersed singly in discourse, such as an outcry. It does not even have to be a word ("ah," "oh," "whew").

intonación "intonation." The effects of stress, pitch, and juncture in any phonetic situation.

intromisión The intrusion of a literary element, such as authorial presence or perspective, in any work.

inverosimilitud The lack of believability in any narration or description; hence the term used to describe any fiction passage that fails to convince the reader that there is a modicum of realistic representation.

inversión "inversion." An alteration in the normal syntactic elements.

ironía "irony." Giving the appearance of saying one thing while implying something completely different; light sarcasm. See *antífrasis.*

juego de palabras "pun."

juntura "juncture." A term from modern linguistics to indicate whether an articulation ends with a falling, rising, or even pronunciation.

lapsus cálami "slip of the pen." Writing error.

lengua "language." (in an abstract sense); "tongue."

lenguaje "language" (as it is employed specifically—idiolect, jargon, stylistic language, etc.).

letra (1) "orthographic letter"; (2) "song lyrics"; (3) "handwriting."

léxico "dictionary." Compendium or storehouse of words.

lingüística "linguistics."

lítote "litotes." The expression of an idea by denying the opposite effect, hence inference through negation. Also "understatement."

locución "expression," "group of words," "phrase," *giro.*

llano A term used to describe a word whose accent falls on the penultimate syllable (the most common pattern in Spanish).

marco "frame." In literary studies, the framework of any creative writing, such as beginning and ending with similar or identical references.

matiz "nuance." Shade of meaning.

mayúscula "capital letter."

metáfora "metaphor." A comparison without a connective such as "seems," "like," or "as."

metátesis "metathesis." Altering the order of letters in a word; e.g., *naide* from *nadie*.

metonimia "metonymy." The designation of something exclusively by reference to one of its parts, as in "respecting one's gray hairs" and "living by one's labors." The confusion of cause for effect.

minúscula "lowercase letter" (not a capital letter).

modismo "idiom." Any expression whose literal translation to another language is inaccurate.

monólogo "monologue." Discourse by one person. (In modern literary works, especially those of psychological insight, the monologue is "interior"—that is, a series of thoughts—rather than a spoken piece.)

muletilla "tag." An idiosyncratic mannerism given to any fictional character to help the reader remember him and to convince the reader of the character's authenticity.

narración "narration." The presentation of events, action, settings, etc.

neologismo "neologism." Newly coined word.

nominal "nounal." Having to do with nouns.

novela "novel."

novelesco Pertaining to the novel.

objetividad "objectivity." That quality of narrative technique in which the narrator or author appears to be completely separated from the narrative.

onírico Pertaining to dreams or dream sequences.

onomatopeya "onomatopoeia." The term used to describe any word or expression whose sound suggests its meaning, as, for example, the verbs used in most languages for animal sounds.

oración A complete sentence.

ortografía "orthography." Spelling.

oximoron "oxymoron." A combination of two antithetical and incongruous elements; e.g., "live cadaver."

palabra "word." Also figuratively, the use of language; also used in parliamentary procedure to request the floor *(pedir la palabra)*.

parábola "parable." A short, symbolic narration that serves to illustrate a moral value.

paradoja "paradox." An assertion or fact that appears to be contradictory yet is true.

paradiórtosis "paradiorthosis." Term used to refer to a twist or change of a famous word or saying.

paregmenon "paregmenon." Term used to refer to a play on the derivatives of words.

paréntesis "parenthesis." A word, phrase, or sentence inserted in another sentence.

paronomasia "paronomasia." The phonetic similarity of different words.

participio "participle." (present or past).

pasaje "passage." Section of a work.

pasivo "passive." A verbal voice indicating that the action indicated in the verb is done to the subject of the sentence.

personaje Fictional character.

personificación "personification." The attribution of animate qualities to something inanimate.

perspectiva "perspective." The point of view from a particular standpoint.

picaresco "picaresque." Generally, roguish; specifically, the type of literary character exemplified by Lazarillo de Tormes.

pleonasmo "pleonasm." The emphatic employment of more words than necessary to express an idea.

polisíndeton "polysyndeton." Repetition of conjunctions.

prosaico "prosaic." (1) Mundane, ordinary; (2) referring to prose.

prosódico The intonation pattern of an utterance.

prosopopeya "prosopopoeia." Personification.

puntos suspensivos "suspension points." The three points (. . .) used to indicate editorial or authorial ellipsis.

raya "dash." A diacritical mark, longer than the hyphen *(guión)*, used to interrupt a sentence or to set off part of it.

realismo "realism." (1) Anything incorporating matter-of-fact believability; (2) the nineteenth-century literary movement that detailed the observable and tended to be less fanciful than other literary movements.

recurso "recourse." Technique, device.

refrán Saying, adage.

renglón Any single line of writing.

sátira "satire." A written exposure of censurable activity, frequently accomplished with sustained use of irony.

silepsis "syllepsis." Breaking grammatical concordance or agreement because the speaker is thinking of conceptual meaning and not of grammatical rules, e.g., «la gente se fueron».

simbolismo "symbolism." The use in a literary work of an item, element, or concept to represent something more than just itself.

símil "simile." A comparison of elements by means of connectives such as "seems," "as," "like," etc.

similcadencia Prose passages that have rhyme, either consonantal or assonantal, or a singsong effect, and hence are thought to be unpleasant sounding.

sinécdoque "synecdoche." A trope in which the part is used to represent the whole, and vice versa; e.g., "the city sleeps," "the American is industrious," etc.

sinestesia "synesthesia." Generally, any confusion of the perception of the five senses, e.g., "a dark odor." More specifically, the use of all five senses in descriptive technique (a primary characteristic of South American modernism).

sinonimia "synonymy." The use of a series of synonymous expressions.

sinónimo "synonym." A word identical or nearly identical in meaning to another.

sintaxis "syntax." The study of prose word order, clausal relationships, and sentence structure.

solecismo "solecism." A general term designating syntactic errors such as misuses of prepositions, object pronouns, relative conjunctions, etc.

subjetivismo In literary works, the author's expression of his feelings and opinions about the characters and situations he is creating.

sui generis (Latin) "of its own kind."

sustantivar To make a noun out of any other part of speech.

sustantivo "substantive." Noun (*nombre* is a synonym).

tema "theme." The underlying meaning and import of a work.

término "term"; "word"; "phrase."

tono "tone." The style or manner of expression put forth in a piece of literature.

tragedia "tragedy." Dramatically sad and unfortunate events.

trama "plot."

traslación The employment of any verb tense in an unusual manner.

tropo "trope." The imaginative modification of the proper sense of a term to convey a figurative sense. (Roughly equivalent to "figure of speech," a trope is more often thought of solely in reference to one word's figurative use.)

universalizar "to make universal." To generalize with regard to common attributes of all mankind.

verbigracia "that is"; "for example"; «*videlicet*»; «*scilicet.*»

verosimilitud "verisimilitude." Believability, hence having the appearance of truth.

Vocabulario

Se excluyen de este vocabulario solamente las palabras más comunes del idioma, las afines más obvias y los términos explicados en el Glosario de términos literarios. Los géneros de sustantivos se dan solamente cuando puede haber alguna duda. Las definiciones pretenden dar el significado según solamente el contexto en que los términos se emplean en este libro.

Abreviaturas empleadas aquí son:

adj.	adjetivo	*pl.*	plural
adv.	adverbio	*p.p.*	participio pasado
col.	coloquial	*prep.*	preposición
conj.	conjunción	*pron.*	pronombre
f.	femenino	*r.*	reflexivo
fig.	figurado	*rel.*	relativo
int.	interjección	*s.*	sustantivo
m.	masculino	*sing.*	singular
n.	nombre	*v.*	verbo

Seguimos el alfabeto español.

A

abajo down, under, downward
abandonar to leave, let, abandon
abertura opening
abierto *p.p.* of **abrir** open
aborrecer to hate
abotonar to button
abrazar to embrace
abrillantado shining
abrochar to tie, clasp, attach, button
abrumado dejected, forlorn
abundancia *n.* plenty
aburrir to bore, tire
abusar to abuse
acabar to end, complete
acariciar to caress
acaso perhaps, scarcely
acceder to accede, agree
acecho in wait, ambush
aceptar to accept
acera sidewalk
acertado *fig.* successful, correct, justified
acertar to hit the mark, be accurate, correct
aciago unfortunate, bitter
aclaración clarification
acogida *n.* a welcome, acceptance
acompañar to go with, accompany
acompasado timed, rhythmed
aconsejable advisable
acontecimiento event
acordarse to remember
acosar to pursue, persecute
acostarse to lie down
acostumbrarse to be used to
acrisolado purified
acrobacia acrobatics
actualidad the present time
actuar to act
acudir to go to, rush to, attend
acuerdo accord, agreement
achicarse to become smaller
adagio adage, saying
adaptar to adapt
adecuado adequate
adelantado *adj.* forward, ahead
adelantarse to get ahead
adelante *adv.* forward
ademán gesture, demeanor
adivinar to guess
adjetival pertaining to adjectives
adjudicar to attribute something to someone
adoptar to adopt
adorno decoration, adornment
adquerir to acquire
adrede on purpose
adscribir to ascribe, attribute
aducir to present proof, reasons
advertencia observation, advice; foreword
advertir to advise, admonish
afán zeal, strong desire
afectado affective, emotional
afeitarse to shave
aficionado *n.* fan, devotee
afín *adj.* closely resembling, very similar, as a cognate
afirmación statement, assertion
afirmativo declarative (in reference to sentences)
afuera outside, outskirt, outer
agacharse to bend down, bend over

agigantarse to become giant-like
agitar to stir, shake
aglomeración conglomeration
agotar to exhaust, use up
agradable friendly, pleasant
agradar to please, placate
agradecido grateful, thankful
agregar to add
agridulce bittersweet
agrupación grouping
agudo sharp, keen, pointed; a word with the accent on the final syllable
agujero hole
ahí there, near at hand
ahogamiento asphyxiation
ahogar to asphyxiate, be unable to breathe, drown
aislado isolated
aislamiento isolation, solitude
ajado inelegant, ugly
ajeno foreign, not one's own
ajustar to adjust
alambre wire
alargado lengthened
alarido scream
alcanzado reached, obtained, fulfilled
alcarreño from Alcarria (a Spanish mountain region)
alegación allegation, charge, accusation
alegar to allege
alegrarse to be happy
alejar to move away from
—se to go away
algo something; *adv.* somewhat, rather
alma soul; *fig.* inhabitant
almohada pillow
alrededor around, near
alterar to change, alter
alto high, tall
— voz out loud, in a loud voice
altura height
alucinante dazzling
aludir to make reference, allude
alumbrar to light up
amabilidad friendliness, kindness
amanecer *v.* to rise in the morning, to dawn; *n.* dawn
amaneramiento affectation in human mannerisms
amarrado tied
ambidiestro ambidextrous
ambiental environmental
ambiente environment, setting
ambigüedad ambiguity
amenazador threatening
amenidad pleasantness
amigote big buddy, great pal
amiquito little friend (both literally and figuratively little)
aminorar to diminish, lessen
amistad friendship; friend
amorío light love affair, crush
amplio ample, large
anarquía anarchy, lack of order or structure
ancho wide
anhelado desired, longed for
ánimo spirit
estado de — mood
aniquilamiento annihilation
anoche last night
anonimidad anonymity
antaño yesteryear; last year

antecedente antecedent
antemano beforehand
antepuesto prepositioned, placed before
anterior previous
anticipación anticipation
antipatía antipathy, ill will
antologado anthologized
anunciar to announce, be published
añadidura addition
añadir to add, extend
añoranza longing, pining, homesickness
apacible peaceable, calm
apalancar to stand against; to pry
aparecer to appear, come into view
aparición apparition; appearance, coming into sight
apariencia (physical) appearance
aparte *n.* aside, something said to the reader or audience confidentially; *adv.* in another place
apellido surname
apenas *adv.* hardly, scarcely, barely
aplicación diligence
aplicado applied; diligent
apodo nickname
apostrofar to berate
apoyar to lean against, support
apreciar to appreciate
apretado squeezed
aprobar to approve; to pass
apropiado appropriate
apto apt, pertinent
aquiescencia acquiescence
arcaico archaic
archipresente ever present
ardid *m.* ruse, subterfuge
arena sand
arenga harangue
arma weapon
armar to start an altercation
arquitectónico architectural
arraigar to take root
arrascar to scratch
arreglar to arrange, fix
  arreglárselas to work things out
arrestar to arrest
arrimado pressed together to one side or corner
arrimarse to lean against; to come next to
arroyo stream
artificioso composed with art, artful
ascendente ascending
asco disgust, nausea
ascua ember
asegurar to assure
asentir to consent
asesinar to murder
asesino murderer
asiento seat
asignación assignment
asimilar to assimilate
asimismo also, besides
asno jackass, donkey
asomar to poke one's head out, peek, take a look
asombrante surprising
aspirar to breath, inhale; to aspire
asqueroso repulsive, filthy, nauseous
astilla splinter

astucia cleverness, wit
asumir to assume
asunto subject, subject matter; point of business
asustar to scare
atacar attack
ateo atheist
aterrado terror stricken
aterrador terrifying
atestiguar to testify, bear witness
atraer to attract
atrapado trapped
atrás back, backward, behind
atreverse to dare
atrevido bold
atribuir to attribute
atributo a trait, quality
atropello traffic accident
auditivo auditory, related to hearing
aula *f.* classroom
aumentar to increase, augment
autobús bus
autodidacta *adj. and n.* self-educated, self-taught
avance advance
avanzar to advance, progress
averiguar to ascertain
ayudar to help
azar *m.* random, haphazard
azucena white lily

B

bajar to go down, come down, lower
bajito very short
balanceado balanced
barco ship
barra bar
barrio urban area
barro mud, clay
base: a — de based on
bastardilla italics
basto plain, coarse
bendito blessed
benéfico benevolent
benigno benign, kind
bestialmente beastlike
bien *adv.* well; *adj.* good; *s.* well-being
— es *n. pl.* goods
bienestar welfare, common good, well-being
bigote whisker, mustache
bizquear to look cross-eyed
blanco *adj.* white; *n.* target, center of the target
blancura whiteness
bocina loudspeaker, horn
bochinche *col.* public disorder, row
bochorno shame
boga vogue
bohemio Bohemian, profligate, an earlier term for hippy
bordillo edge, curb
borrasca storm
brasa coal, ember
breve brief
brevedad brevity
brillantez shine, glisten, glow
brinco jump, leap
brío lustiness, zest
brotar to spring forth, blossom, sprout
bruscamente roughly
buitre buzzard
burla joking, jesting

burlarse to make fun, sport
burlesca festive
burlón *adj.* jocose, jibing
buscona streetwalker, whore
búsqueda search
busto bust, head statue
bustrófedon alternating writing

C

cabalmente perfectly
caballete painter's easel
cabecear to drowse
caber to fit into, contain
cabo end, land's end; corporal
cachivache *m.* paraphernalia
cadena chain
cadencia cadence, rhythm
café coffee; cantina
cafetera coffeepot
caída fall
cal lime, calcium
calado soaked
calcular to calculate
calentar to warm, heat
calentor heat
calidad combination of qualities, qualification
calidoscópico kaleidoscopic, variegated
calificativo *adj. and s.* qualifying, qualifier
calificar to express the quality of, qualify, judge
calvo bald
calzar to put on footwear
callejear to wander the streets
callejero *adj.* street
camarada *f.* comrade
camarero waiter
cambiante changing
caminar to walk
campana bell
campanada tolling of a bell
campesino peasant
campestre rural, country
cansancio fatigue
cansera tiredness
cantidad quantity
caos *m.* chaos
capaz capable
capital *m.* money, funds; *f.* capital city
capricho whim, caprice
caprichoso flighty, changeable
captar to capture, retain
carácter *m.* personality; written sign; *col.* type, kind
carcajada burst of laughter, guffaw
carecer to lack
cariñoso loving, endearing
carrera career, occupation; race, run
carro car, cart
cartela label
caso case, instance
  venir al — to be opportune
  hacer — to have a bearing on; to notice, pay heed
castidad chastity
castizo typically Castilian
cavilar to ponder, think
caza hunt, hunting
celda cell
celebrar to celebrate
cenar to dine
cenicero ashtray
centelleante sparkling
ceñido girded, embraced tightly

cerca *adv.* near, close; *n.* fence
cerebro brain
cero zero
certero accurate, sure-fire
cerrado anything closed up
ciclo cycle
cigarro cigarette
cilíndrico cylindrical
cimiento foundation, base
cincelar to chisel
circunspecto circumspect
cita appointment, date; quote
citado appointed, named
clamoroso shoutingly, loud
claridad clarity; daybreak
cláusula clause
clausura cloister
clérigo clergyman
cobrar to charge, collect pay; *fig.* to assume, take on
cocina kitchen
cocinar to cook
cognoscitivo referring to the act and action of knowing
cogote back of the neck, nape; *fig.* the neck itself
cohete rocket, firecracker
coincidir to coincide
colapso collapse
colcha blanket
colega *m.* colleague
colegio grammar school and secondary school
colgar to hang, suspend, dangle
colilla cigar or cigarette butt, stub
colmo last straw, ultimate suffering; crowning act
colocación placement
colocar to place, locate
coma comma
combinar to combine, gather
comentario comment
cometer to commit
comicidad quality of comedy
comienzo beginning
comilla quotation mark
compacto compact
compadecer to sympathize with, feel sorry for, console
compañero companion
compartir to share
compasivo compassionate, understanding
complacerse to take pleasure in, feel happy about anything
complaciente compliant, kind, yielding, generous
complejidad complexity
complementarse to complement or combine well with
complemento object of the verb
componerse to compose, be built or made of
composición (written) composition
comprensión understanding (of others)
comprimido compressed
comprobar to prove
comprometerse to become involved personally
comprometimiento commitment
comunicarse to communicate
concadenar to concatenate
concebir to conceive
concentrarse to concentrate one's attention
concerniente concerning
concertar to arrange, concur in

concienzudo conscientious
concisar to make concise
concordancia conformity between grammatical units
concordar to agree
concurso attendance, participation
condenación condemnation
condescendientemente condescendingly
conducir to lead; to drive; to conduct, manage
confeccionar to build, compose, create, fashion
confianza trust, confidence
confidencia secret alliance
confidente trusted ally
conformarse to be content with, satisfied with
confundir to confuse, confound
confuso tangled, confused
cónico conical
conmovedor sympathetically moving, touching, poignant
conmoverse to be emotionally sympathetic, touched
conmiseración compassion
connotar to connote
conocido *n.* acquaintance
conquistar to overcome, win, make a conquest
consabido well-known, widely known
consciencia conscience
consciente conscious
consentimiento consent
conservar to conserve, retain, save, maintain, preserve
conspicuo conspicuous
constancia steadfastness, fidelity
constar be composed of; to be a plain fact that
consulta consultation
consumir to consume
contaminar to sully
contar to tell, relate; to count
contener to contain, hold
contenido content(s)
contiguo adjacent
continuación: a — farther ahead, subsequently
contradecir to contradict
contraria *n.* contrary point of view, opposition
convencer to convince
conveniente *adj.* convenient; *n.* convenience
convenir to suit, be proper for, fit, please; to make an arrangement
convento convent, monastery
convertir to convert
convincente convincing
convulso convulsive
copa glass, cup; drink
coquetería coquettishness, flirting
corchete bracket
corolario corollary, consequence
corto short, low; abrupt
corredor corridor, aisle
corregir to correct
corresponder to have to do with, concern, behoove; to correspond
correr to run; to operate, function; to chase
corriente *adj.* current, at the present time; *n.f.* flow
al — to be up on things, timely

corro crowd
coser to sew
costumbre *f.* custom, habit
cotidiano daily; mundane
crear to create
crecer to grow, build up, increase
crédulo naïve, gullible
criado servant
crimen crime
cristianismo Christianity
criterio criterion
crítica criticism
crujiente creaking
cuadra city block
cuadro picture, painting
cualidad quality, character, attribute, property
cualitativo qualitative
cualquiera *n.m.* anyone
cuando when
  — menos when least expected
cuanto(s) as many, as much
  en — as soon
cuarto *n.* room; *n. and adj.* fourth
cuasi- *prefix* nearly, almost, seemingly
cúbico cubic
cubierto covered
cuchufleta badinage, banter
cuenta account, bill; accounting, calling to task, noting
cuentista short-story writer
cuestión matter, subject
culminante climaxing
culpa blame, guilt
culto *adj.* cultured, refined, erudite, cultivated
cumplir to fulfill, comply
cundir to propagate, flourish, spread, extend
curioso odd, strange
cuyo whose

CH

chanza jibe, joke, jest
chico *adj.* small, young; *n.* child; fellow, guy, buddy
chicha: calma — complete, total calm
chileno Chilean
chillar to screech
chillón augmentedly screeching
chimenea fireplace
chino *n. and adj.* Chinese
chiquillo, chiquito *adj.* very small; *n.* small child
chirriquitico *Cubanism* very, very tiny
chismoso gossipy
chocante crashing, colliding, shocking, severe
chocar to collide; to shock

D

daño harm, damage, hurt
dar to give
  — Dios a entender to the best of one's ability
debajo under, beneath
deber to ought to, should; to owe; *n.* duty, obligation
debido: — a due to
década decade
decaimiento ruin, falling apart, decay
decapitado decapitated

decidido emphatic, decided
decidir to decide
decir to say, tell
  es — that is to say
  querer — to mean
declaración statement
declarativo affirmative (in speaking of types of sentences)
declinar to decline, go down
decoroso decorous, proper, sedate, aristocratic
dechado model
deducir to deduct
defecto defect, flaw, fault
deformar to deform, misshape
dejar to allow, let, permit; to drop, leave
dejo peculiar pronunciation, accent, or voice inflection
deleitoso delightful
delgado slender
demostrar to demonstrate, show
denominación name, classification
depender to depend
depositar to leave situated; to put
depuración purification
derecho *adj.* right; *n.m.* right, law, privilege
derivar to derive
derramar to let flow any liquid, spill
derrochar to waste, throw away
desafío challenge
desaliento disappointment
desarrollar to develop
desastroso disastrous
desayuno breakfast
descalzarse to remove footwear
descanso rest
descaro wantonness, shamelessness
descensión decrease, diminuation, decline
desconsiderado inconsiderate
desde since, from
  — luego of course
desdicha misfortune, bad luck
desemboscarse to come out of a forest
desencanto disenchantment
desenlace *m.* denouement, final outcome of a work of fiction
desenvolverse to exercise any activity, develop, work out
desesperante causing desperation
desesperanza hopelessness
desesperar to become desperate; to despair
desgajarse to separate from, get loose from
desgarrado ripped, lacerated, torn, shattered (of a voice)
desgracia mishap, unfortunate circumstance
deshumanizar to dehumanize
desierto deserted; *n.* desert
designación name
desistir to desist
desliz *m.* slip; miscalculation
deslucido unattractive, shabby
desmoronamiento collapse
desobedecer disobey
desocupado idle; vacant, empty
desolado desolate
despeinado uncombed
despejo clear thinking, intelligence; clarity

despersonificar to take away human qualities, depersonalize
despertar to awaken
desplegar to spread out, display, unpleat, open up
despreciable unworthy of esteem
desprecio scorn
desprenderse to separate from; to come forth from, emanate
desproporcionado disproportionate
destacar to stand out, be prominent, conspicuous
destartalado warped, uneven, in disarray
destello flicker, spark
destilación distillation
destinar to be destined, fated, determine the use
destino destiny; destination
destreza skill
destruir to destroy
desuso disuse
desvencijado broken down, in a shambles, wrecked
desventaja disadvantage
detalle detail
detenerse to stop, halt
detenido detained, stopped
determinado some, certain
determinar to determine
devolver to hand back
devoto devout
diáfano clear, transparent
dialectal dialectical
diana bullseye (military term)
diario *adj.* daily; *n.* newspaper
dibujar to sketch, draw
dictar to dictate
dicha good fortune
dicho *adj.* said, told; *n. m.* saying
diestro *adj.* able, adept; *n.f.* right hand
digno worthy
diñarla to kick the bucket, die
diosa goddess
dirigirse to address someone; to go in one direction
disco record; disc
disculpa pardon
discutir to argue; to discuss
disfrutar to enjoy
disimulado feigned, pretended
disipar to dissipate
disparatado egregious, wild, outlandish, shocking
disparate *m.* extraordinary thing or statement
disponer to make use of, employ
disputa dispute
distinguirse to distinguish oneself
distinto different
divagación digression
doblar to fold, bend, unbend; to turn a corner
docente referring to teaching
dominio control, command
dueño owner
dulzura sweetness
durativo lasting, of continuing duration

E

echarse to take upon oneself, assume, get; to toss oneself
edificar to build
educando student

efectuar to effect
eficaz efficient
eje axis
ejecutorio decisive
ejemplificar to exemplify
elegir to select, choose
elíptico elliptical
elogiar to praise
embargo: sin — nevertheless
embarro mess, stains
embestida frontal attack
emblema design, emblem
emotivo causing emotion
empalagar to cloy
empañado beclouded, fogged
empatado connected, juxtaposed
empeorar to worsen
empeño diligence, zeal, drive
empequeñicemiento diminuation
empinarse to bend
emplear to use, employ
empresa undertaking, enterprise
enajenamiento alienation
enaltecido raised, ennobled, elevated
encadenamiento linking
encadenar to link, string out
encaramarse to climb upon
encarcelamiento incarceration
encerrar to enclose, surround; *fig.* to contain, hold
encía gum
encima atop, on; above
encogido shrunken, shrugged
encuentro meeting, rendezvous
ende: por — therefore
enérgico energetic
enfadar to anger
énfasis *m.* emphasis
enfocar to focus
enfoque focus
enfrente facing
enjugarse to dry off
enlace *m.* tie, connection
ennoblecer to ennoble
enojarse to get angry
enorme enormous
ensartar to string together
enseñar to show; to teach
ensordecer to make deaf, become deaf, deafen
ensueño reverie, dream
entablar to present a proposition, begin a matter
entero entire
enterrar to bury
entonces then, at that time; *int.* well
entornar to close halfway
entrañable profoundly caring
entrañas viscera, guts; *fig.* the body
entrar to enter; *fig.* to begin
entreabrir to open slightly
entrecerrar to close slightly
entrecortado panting, gasping, jerky
entregar to deliver
entrelazar to entwine, combine
entremetido *n. and adj.* busybody
entresacar to weed out, prune; to take out the best, select
entretener to entertain
enumerar to enumerate
envolver to involve; to wrap
epístola epistle, letter
época epoch, era

equivaler to equal, be the same as, be equivalent
equívoco equivocation, ambiguity, double meaning
erguirse to stand erect
erizado bristling
erotema *m.* interrogation
erudito erudite, learned
erre pronunciation of the letter *rr*
escalar to scale
escalinata a stairway
escalón step, stair
escaparate showcase
escasamente scarcely
escasear to be scarce
escasez scarcity
escenario setting; scenery
esclavizado enslaved
escoger to choose
esconder to hide
escrito *n.* writing
escritura the act or product of writing
escueto sparse; stark
escurridizo scurrying; dribbling
esencia essence; scent
esférico spherical
esforzar to be forceful; *r.* to force oneself
esmero fastidious care
eso that
  por — on account of that
  y — and all that; due to
espacial spatial
espacialmente lengthily, leisurely
espalda *n.* back
espátula spatula
especie species, type
especificar to specify
espectáculo spectacular
espectador spectator
especulativo speculative
espejo mirror
espera wait
esperanza hope
esperar to wait; to hope; to expect
espiritualizar to spiritualize
espléndido splendid, glorious
esponjoso spongy
esquemático schematic
esquina (outside) corner
establecer to establish
estadio stadium
estado state
  — de ánimo mood
estafar to swindle
estampa impression
estancamiento stagnation
estático static
estatura stature, height
esterilidad sterility
esteta *m.* esthete
estilística stylistics
estilo style; manner
  por el — and so forth
estimado esteemed
estimular to stimulate
estipular to stipulate
estirarse to stretch oneself, unbend
estorbar to disturb
estrafalario eccentric
estremecer to shudder
estribar to proceed from, be based on, derived from
estribo stirrup, holding bar, handrail

estructuralista structuralist
estudioso studious
estupor stupor, daze
etimologíco etymological
eufemismo euphemism
euforia pleasant feeling of well-being, happiness
evaluar to evaluate
evidenciar to bear evidence, prove
evitar to avoid
exhibir to show
exhortar to exhort
exigencia demand, requirement
exigir to demand
éxito success
experimentar to experience
explotar to explode; to exploit
exponer to expound, set forth; to expose
expuesto exposed, expounded
expresividad expressiveness
extraer to extract

F

faceta facet
factótum *m.* busybody; entrepreneur
faldamento skirt
falta lack, need; defect
faltar to lack; to miss
fallar to fail
fallido frustrated, defeated; bankrupt
fantasía fantasy
farol lantern
fatal inevitable
fatalidad inevitable end; doom
fatiga fatigue
fealdad ugliness
febril feverish
feo ugly, homely
fonómeno phenomenon, freak
figura figure
  — retórica figure of speech
figurar to imagine; to be a part of
fijar to fix
  — se to notice, observe
fin *m.* end; purpose
final *m.* ending; *adj.* final
finalizante finalizing
fingir to feign, pretend
flaco skinny
flor flower
  a — de along the surface of
flujo flow, fluidity
fonda restaurant
fondo bottom; depth
forma form, shape
formal pertaining to form
fonética phonetics
forro lining of garment
fortaleza fortress, fort; strength
forzarse to expend effort
frailesco friar-like, monastic
franco frank, open
frase sentence; part of a sentence
  — hecha popular expression
fraseología phraseology
frazada blanket
frescura freshness
frenesí *m.* frenzy
frenético frenzied, frenetic
frente *f.* forehead; *adv.* front
  en — in front, facing
frotar to rub

fructificar to bear fruit, be productive
fuera *adv.* outside
fuerza force; urge, requirement
fugaz fleeing, fleeting
fulano Mr. so-and-so (a name used when the real name is unknown or unimportant)
futilidad futility

G

gabardina topcoat
gallego Galician
gama gamut, range
gana: **mala —** unwillingly
ganado *n.* cattle; *adj.* won, earned, gained
ganar to win, earn, gain
gastado worn out
gatito small cat; kitten
genio temper; genius
gerundio present participle
gesto gesture, facial expression
giro phrase, short expression of more than one word
golpe blow
  de — all of a sudden
gordo fat
gozar to enjoy
grabado recorded
grabar to record; to trace
gracia wit; grace; *pl.* thanks
gráfico graphic
grandeza greatness
grano grain
  ir al — to come to the point
gritar to shout
guardar to keep; to save
guardarropa *m.* closet, wardrobe
gusano maggot; worm

H

habanero citizen of Havana
haber: **— de** to have to
habitación room, bedroom
habitar to inhabit
hacer: **— acto de presencia** to show oneself for a moment
  — de burro to play the donkey
hacia toward
hacinamiento piling up
hache the letter *h*
hala *int.* Hey!
hallar to find; *fig.* to be
harto *adv.* sufficient, plenty
hartura satiety; being fed up, disgust
hecho *adj.* done, made; *n.* fact
helado frozen
heraldo herald
hermosura beauty
hierro iron
hijo son; *pl.* children
hilo thread
hipócrita *m.* hypocrite
hogareño pertaining to the hearth or home, domestic; *n.* homebody
hoja sheet; leaf
hombro shoulder
hondo deep
hormigueo anthill activity
horripilante horrifying
hoy today
  — en día nowadays

hoyo hole
hueco hole
huerto garden
hueso bone
huesudo bony
huirse to flee
humedad moisture, dampness
húmedo damp, wet
humilde humble
humillado humiliated
humo smoke
hundido sunken

I

iconoclasta *adj.* iconoclastic
identificar to identify
idioma language
idiosincrasia idiosyncrasy
idiota *m. and f.* idiot
ignorar to be ignorant of
ilusorio illusory
ilustre illustrious
imagen *f.* image
impacientarse to get impatient
ímpetu *m.* impetus
implicar to implicate; to imply
importunar to importune
imprecación denunciation, cursing
imprescindible necessary
impresionar to impress
impreso printed
imprevisto unforeseen
impuesto imposed; *n.* tax
inadvertido unnoticed
inalterable unalterable
inanidad inanity, pointlessness
inanimado not living
incitación incitation
inclinarse to bow, lean over
incluir to include
incongruente incongruous
inculcar to inculcate, teach
indicaciones directions; indications
indicio indication
individualizador individualizing
individuo *n.* individual
índole *f.* condition; kind, manner
inducir to induce
ineficaz inefficient
inercia inertia
inestable unstable
inerte inert, unmoving
inferir to infer
infierno hell
infundir to instill
ingenioso ingenious
ingenuo naïve, ingenuous
ingerir to ingest
inhalar to inhale
iniciar to initiate
inmaculado immaculate
inmejorable unimprovable
innovador innovating
inquietar to disturb
insertar to insert
insoportable unbearable
inspirar to inspire
instantáneo *adv.* instantaneous; *n. and f.* snapshot
insulsez *f.* vapidity
íntegro integrally
intensificar to intensify
intentar to try, attempt
intercalación anything interspersed, interjected, inserted
intercambio interchange

interdental interdental
interlocutor speaker
interponer to interspose
intrometer to intrude; to insert
inútilmente uselessly
inventario inventory
irreflexivo unthinking

J

jadear to pant, breathe heavily
jerga jargon
  — callejera slang
júbilo joy, exultation
juego play
  — de palabras pun
juez *m.* judge
jugar to play
juguetón playful
juicioso prudent
junco reed
juntar to gather, join
junto together; next to
juntura juncture
juventud youth
juzgar to judge

L

labriego farm worker
ladrón thief, crook
latente latent
latir to beat, pulsate
lavabo washroom
laxitud laxness
laya kind, type
lector reader
lectura reading
leer to read
letra letter of the alphabet; song lyric
levantarse to rise, get up
leve light
léxico lexicon
lícito correct, legal
ligero light, slight
limón lemon
limpieza cleanliness
lindar to border on, be near
lingüística linguistics
lirondo: mondo y — slick and clean
lisiado crippled
liturgia liturgy
liviano light (in weight or substance); frivolous
lograr to achieve
lucir to seem; to show off
luchar to struggle
luego later
  desde — of course
lumbre *f.* light, fire

LL

llamado so-called
llano flat, plain; word with tonic stress on the penultimate syllable
llanto weeping
llegada arrival
llegar to arrive; to reach
llenar to fill
lleno full, filled
llevar to carry, take along

M

macabro macabre
maderas boards, planks
madurez maturity
maduro mature
maestría mastery
mal *n.* evil; *adv.* badly
maldito cursed, damned
maleficio evil spell
manar to flow
mandar to send; to command
manejo use, management
manipulador manipulator
manso meek, tame
mantel tablecloth
marco frame, framing
marinero sailor
martillazo hammer blow
máscara mask
matar to kill
materia subject matter
matinal of the morning
máxima maxim, adage, saying
mayoría majority
mayormente primarily, mainly
mayúscula capital letter
mediados: a — in the middle of
medianamente moderately
medida measure
medio means; *adj.* half, mid-
mejilla cheek
mejoramiento improvement
mengano another name used in series after **fulano** to say an unknown person's name
menos less, least
  al —, por lo — at least
  a — que unless
menosprecio diminished esteem
mentar to mention
mente *f.* mind
mentir to lie, tell falsehoods
mentira lie
meñique *m.* little finger
meramente merely
merecer to deserve
meta goal
meter to put into, get into
metrónomo metronome
mezclar to mix
mimar to spoil (a child)
minúscula small letter
mirada look, glance, stare
mitad *n.* half
mochuelo owl
moda style, fashion
moderado moderate
modernismo modernism (a South American literary movement)
modificar to modify, alter
modismo idiom
mofarse to mock, make fun of
moho mould; moss; rust
mojado wet
molestia bother, annoyance
monasterio monastery
mondo *see* **lirondo**
monetario monetary
monje monk
mono monkey; *adj.* cute
monólogo monologue
monta: de poca — of little importance
monzón monsoon
mostrar to show, display
morir to die
mortecino dying

mosquita *f.* little fly; *m.* sissy, ineffectual person
mover to move
móvil *n. and m.* motive
mozo boy, waiter; *f.* girl
mucílago mucilage
muelle *n. and m.* dock, wharf
muestra sample
muestrario showcase
muladar trash heap, dung pit, dump area for house slops
mundialmente world-wide
muro outside wall
músico musician

N

nacimiento birth
natividad nativity, birth (of Jesus)
naturaleza nature
naturalidad naturalness
negar to disaffirm, negate
— se to deny
negocios business
negrura blackness
netamente neatly, succinctly
nexo connection, tie, bond
niebla fog, mist
nitidez clarity of focus
nítido clear, distinct
nivel *m.* level
nocturno *adj.* nocturnal
nomás *dialectalism* only
nombrar to name, state
nominal pertaining to nouns
notable worthy of recognition
noticias news items
novedad novelty, new fad
novedoso *adj.* novel, new
novelesco pertaining to novels
novelista novelist
nube cloud
núcleo nucleus

O

obedecer to obey
obesidad obesity
obra work, especially literary work
obrar to work, labor, strive
obscuro dark
obstante: no — notwithstanding
ocioso idle, with leisure
ocultado hidden
ocupado busy, occupied
ocuparse to take charge of
ocurrir to occur
odiar to hate
oficio office, position
ofrecer to offer
oído *adj.* heard; *n.* ear; hearing
oler to smell
oliveño olive-colored
olor smell, odor
omitir to omit
omnisciente all-knowing
onceno eleventh
onda wave, swell
ondulado wavy, waving, swaying
onduloso wavy, waving, swaying
onírico pertaining to dreams
opaco opaque
operar to operate

opinar to opine, have an opinion
óptimo optimum, most
opuesto opposite
oración formal sentence
orden *m.* neatness, structure; *f.* command
ordinariez *f.* grossness, vulgarity
orientar to orient
orilla bank, edge of body of water
ortiga nettle
oscuro dark
otorgado bestowed

P

padecer to suffer
paisaje countryside
palabra word; *fig.* language
paleta palette
pálido pale
palo stick; hard blow
paño cloth
par pair; par
  de — en — wide open
parabólico pertaining to parables
paradoja paradox
parar to stop, halt
  — se to stand up
parecer to seem; *n.* opinion
  — se to look like
  parece mentira it's incredible
pared (inside) wall
  de paredes afuera outside, out of doors
pareja couple, pair
parentesco family relationship
parte *f.* part
  por — de on behalf of
participar to participate
partir to depart; to break
párrafo paragraph
parroquial pertaining to a parish
pasaje passage, section (of a literary work)
pasajero passenger; *adj.* passing, not enduring
pasar to come to pass, occur; to pass by; to pass
paseo stroll, walk; street
pasillo passageway, corridor
paso step; pass
  de — in passing
pastoso soft, bland
pata paw, foot
patente patent
patetismo quality of being pathetic
patrona patroness
pe the sound of the letter *p*
pecado sin
pecho chest; *fig.* heart
pedestre pedestrian
pegado stuck
pegar to combine; *fig.* to fit
película film, movie
pelo hair
pellejito skin, hide
pena woe, grief; embarrassment
pendiente pending
péndulo pendulum
penoso embarrassing, pained
pensar to think; to intend
pensativo pensive
penúltimo second-to-last
penumbra dusk, twilight

pequeñez smallness
perder to lose; to miss
perdurar to endure, last
perfectiva perfective
permanecer to remain
perogrullada banal, trite expression
perpetrar to perpetrate
perseguir to pursue, persecute
persistir to persist
personaje *m.* fictional character
persuadir to persuade
pertenecer to belong
pesadez heaviness; disagreeableness; tiresomeness
pesar: a — de in spite of
peso weight; importance
pestañeo winking, moving the lashes; *fig.* flitting
picado bitten; pock-marked
picar to bite; *fig.* to bother
pícaro rogue
pico: y — a little bit more
pie foot
  dar — to touch bottom
  ponerse de — to stand up
pieza piece (musical and mechanical)
pincel artist's brush
pincelada single brush stroke
pintarrajeada garrishly made up
pintoresco picturesque
pirotecnia pyrotechnics
pisar to tread, walk upon
pista runway
pizca jot, one bit
placentero pleasing, pleasurable
placer *m.* pleasure
planear to make plans
plano *adj.* smooth, level
plantarse to place oneself
plato plate; dish
plazo period of time; delay
pleno complete; full
pobre poor (literally and figuratively)
pobrete poor soul
poder *n.* power
polimorfo having many shapes or forms
polo pole
polvo dust
Pompeya Pompeii
pómulo cheekbone
pormenor detail
portal doorway
poseidónico like Poseidon
pozo well
práctico *adj.* practical
precisar to fix precisely
predicado predicate
predominar to predominate
pregonero *n. and adj.* hawking one's wares, calling out in public
prejuicio prejudgment, prejudice
premio prize
prendas charms, good qualities (with people); items (of one's property)
prender to arrest, catch
preocupación worry
preocuparse to worry
presagio foretelling, omen
prescindir to do without
preso imprisoned
prestar to loan; to borrow

presumir to presume
pretérito preterit, past completed tense
primera: de — of highest quality
primitivismo primitiveness
principal main
principio beginning; principle
prisa haste
prismático multifaceted, highly colored
privativo private
proceder to proceed
pródigo wasteful; prodigal
prójimo fellowman
pronunciar to pronounce
propicio proper, propitious
propietario owner
propio own; proper
proponerse to propose
propósito purpose
  a — on purpose
prosa prose
prosáico prosaic; pertaining to prose
proveer to provide
provenir to come from
provocar to provoke
próximo next, nearby
pueblerino townsperson; *adj.* of a town
pueblo town; people
puerco pig
puesto *adj.* put, located, donned
  — que inasmuch as
pulgarcito little thumb
pulido polished
pulso pulse
puntal *m.* beam, support
punto point
pureza purity
purgatorio purgatory

Q

quedar to remain, stay
queja complaint
querer to want; to love
  — decir to mean
quijal jaw
quijotesco quixotic
quitarse to disrobe; to remove oneself
quomer: comer (an alliterative misspelling)

R

racimo bunch, cluster
ráfaga gust of wind
ramita bouquet
rapiña prey
rascar to scratch
rasgo trait
raso common, ordinary
ratón mouse
raya dash; line
realizar to accomplish
realzar to elevate, make outstanding
recalcar to impress upon; come to bear upon
recalcitrante stubborn
recargar to overload
recelo fear
recibidor entryway, vestibule, lobby
recién recent
recluído reclusive
recoger to pick up; to gather

recomendar to recommend
recomprobar to prove again
recordar to remember
recorrer to stroll around
recostadero sofa
recostado lying, resting
recrearse to recreate; to have recreation
rectificar to rectify
recubrir to recover
recuerdo remembrance
recurrente recurring
rechazado rejected, refused
redacción writing, composing
redimir to redeem
redondear to round out
redondo round
reemplazar to replace
referir to tell
— se to refer
reflejar to reflect
reflejo reflection
reflexionar to reflect
reforzar to reinforce
refrán adage, saying
refrescar to refresh
refugio sanctuary, refuge
rehusar to refuse
reina queen
reírse to laugh
reiterar to reiterate
reja iron grating, railing
relacionar to relate
relatar to relate
relieve prominence
rematar to finish off convincingly
remedar to imitate
remedio remedy, solution
remordimiento regret
rendir to yield; to produce; to surrender
rentilla a little income
repente: de — suddenly
repentino sudden
repique tolling (of a bell)
reposar to repose, rest
reprobable censurable, unworthy
repugnante repugnant, repulsive
requerir to require
resaltar to stand out
resbalar to slip, slide, skid
rescoldo embers
resollar to breathe noisily, gasp, pant
resolver to solve; to resolve, find a solution
respaldo back (of a seat)
respecto: con — a with respect to
resplandor glow, shining
responder to reply
resto remainder, rest
resultar to result, turn out
resumir to condense, make a resumé
retener to retain
retirarse to retire
retorcer to twist
retórico rhetorical, figurative
retrenzar to braid
reunir to gather, unite
revelar to reveal
reverberar to echo
revés: al — in the opposite way
revestir *fig.* to (in)vest, impart additional qualities to

revisar to review, revise
revista magazine, journal
revuelto twisted, involved
riel rail (as for a train)
riesgo risk
rigor: en — actually, specifically, really
rimar to rhyme
rincón (inside) corner
rito rite, ceremony
robar to steal, rob
robustez robust quality
rodear to surround
rodilla knee
rogar to plead, beg, pray
románico Romanic, Romance
rompecabezas *m.* riddle
romper to break
ropa clothes
rostro face
rotativo revolving
roto broken
rozar to brush against
rubio blond
ruído noise
rulfiano pertaining to Juan Rulfo
rumbo course, route

S

sábana sheet
sabor taste, flavor
sabiendas: a — knowing
sacar to get out, take out
saciar to satiate
saco sack
salida departure; exit, way out; clever repartee
saliente salient, prominent
salitre saltpeter
salud health
saludar to greet
salvaje savage, primitive
sandalia sandal
sano wholesome, healthy
Santo: — Dios *int.* heavens!
sastre tailor
sea: o — that is, in other words
secarse to dry off
seco dry
seda silk
seducir to seduce
seguido followed
  en seguida immediately
seguir to follow, continue
seleccionar to select
selecto selected
sembrado *n.* planted field
semejanza similarity
semilla seed
Sena Seine
sencillez simplicity
sentarse to sit down
sentido *adj.* felt; *n.* sense
señalar to signal, make a sign
separado set off
sepultado entombed
ser *n.* being
serenarse to calm down
serie *f.* series
servilleta napkin
servir to serve; function, be of use
severo severe
shock shock (in medical sense of physical or mental numbness)
sicológico psychological
siembra seeded, planted place

significancia shade of meaning
signo sign
sílaba syllable
silencioso silent
silla chair
símil *m.* simile
simpatía sympathy; friendliness
simún storm
singular special, singular
siniestro left hand
sinnúmero numberless amount
sino but, but rather; *n.* destiny, fate
sinónimo synonym
sintaxis *f.* syntax
siquiera: ni — not even
sirena siren, whistle
sirviente servant
sitio spot, location, place
sobre on; about
— todo above all
sobreentender to understand by inference
sobrenombre nickname
Sociedad Anónima the standard designation for any company owned by stockholders (abbreviated *S.A.*)
solapado confidential
soledad solitude, loneliness
soler to be used to
solicitar to seek, petition, solicit, apply
sólido solid
solitario alone, lonely, sole
soltar to unleash, release; *fig.* to let soar
soltura release; ease, freedom
sombra shadow
sombrío somber
somier spring mattress
somnolencia sleepiness
sonante sounding
sonar to sound
sonido sound
sonreír to smile
sonrosar to blush
sonsonete sing-song
soñar to dream
soporífico soporific
sordidez sordidness
sordo deaf
sorprendente surprising
sorpresa surprise
soslayado tipped, tilted
sospechar to suspect
suavemente softly
subir to go up; increase, rise
subyacente underlying
suciedad dirtiness
sudor sweat
suelto released, freed
sueño dream; sleep
suerte *f.* luck
sufrido long-suffering
sugerir to suggest
sujeto person, guy, type
suicidarse to commit suicide
sumamente extremely
sumario summary; *adv.* summarily
sumergir to submerge
sumiso subdued, meek
supeditado dominated, repressed, oppressed
superación great achievement
superarse to exceed oneself
súplica plea, pleading
suponer to suppose
suprimir to suppress

supuesto supposed
por — of course
suscitar to cause; to raise; to infuse
suspender to suspend
suspensivo suspensive
sustantivo substantive, noun
sutileza subtlety

T

tacto sense of touch
tacha fault, stain, flaw
taladrar to drill
taller *m.* workshop
tamaño size
tambor *m.* drum
tanto so much, as much; *pl.* as many
por lo — therefore
tañido tolling (of bells)
tardar to be late; to delay
tarima stand, platform
técnico *adj.* technical; *n.f.* technique
techo roof, ceiling
tedio tedium, boredom
telescopiar to telescope, extend
tema *m.* theme
temático thematic, relative to the theme
temblar to tremble
temor fear
tempestad storm
temporal *adj.* relative to time; *n.* storm
tenaz tenacious
tender to tend
tenor tone; type
teórico theoretic
teorizar to theorize
tergiversación intentional distortion or deformation
terminante finalizing
término term
ternario ternary, threes
terso terse
tiempo time; weather
a — on or in time
de un — a esta parte for some time now
tienda store
tierno tender
tifón typhoon
tigre tiger
tijeras scissors
tiñoso mangy
timorata timid
tipo type; guy, fellow
tirantez tautness
tirar to toss
— se to throw oneself, dive
título title; degree
tocar to touch; to play a musical instrument
todo all; *pl.* everyone
tolerar to tolerate
tomar to take; to drink
tono tone
torpemente crudely
tos *f.* cough
tosco awkward
toser to cough
trabalenguas *m.* tonguetwister
tranquilo peaceful
transcripción transcription
transcurso passage (of time); course, duration
transferir to transfer
transitorio momentary, passing

tranvía trolley, streetcar
trapo rag
tras following after, behind
trascendencia transcendence
traslación unusual use of verbs
tratamiento treatment
tratar to treat, deal with
  — de *plus infinitive* to try
  — se to be a question of
través: a — de through, via
travesura mischief
travieso mischievous
tremendo tremendous
trinidad trinity
tripartito in three parts
triplicarse to triple
tromba storm
tropezar to run into, meet, stumble into
tropiezo stumbling, tripping, bumping into
trozo piece, part, section
trueque change, exchange
tullido crippled, paralyzed
turbar to upset, disturb

U

ultratumba after-death
unido united
universalizar to make universal
urgir to be urgent
usar to use
útil useful

V

vacío vacuum, emptiness
vacuidad vacuity
vaho tenuous vapor, mist, air, atmosphere
vaivén to-and-fro, swaying
valer to be worth
  — se to make use of
valiente brave
valor value
vano vain
vapor steam; *n.* ocean liner
variable varying
variar to vary
vaya *int.* roughly equivalent to "heck"
vehículo vehicle
venganza vengeance
venidero coming
venir to come
  — siendo getting to be
ventaja advantage
ventanilla (vehicle) window
ver to see; *n.* seeing, sight
veras: de — really
verbigracia to wit, namely
verdadero true
vergüenza shame
vestido dress; *adj.* dressed
vestirse to dress
vez instance, time, occurrence
  a la — at the same time
  a veces sometimes
  de una — once and for all
  de — en cuando from time to time
viajero traveler, passenger
vicario vicarious
vidriera (store) window, showcase
vidrio glass
viga beam

vigilar to keep watch, watch out for
violar to violate; to rape
viril manly
viruela smallpox
viso glimpse, look, hint
víspera the night before any event
vista sight; view
vital pertaining to life
vocablo term, word
volar to fly
volcán volcano
voluble moody, changeable
volumen volume
volver to return
  — se to become
vomitar to vomit
voz voice; word
  alta — out loud
vuelta return; turn
vulgar ordinary

Y

ya already, now
  — que since, inasmuch as
yuxtaposición juxtaposition

Z

zafarse to get loose, untie oneself
zaherir to pierce
zapato shoe
zigzagueador zig-zagging
zona zone
zozobra upset, turmoil